苔《こけ》と木《き》々《ぎ》とジオラマと

～WildRiver荒川直人 卓上情景作品集～

WildRiver荒川直人

大泉書店

Wild River's
Collection of
Tabletop
sceneries
2

Prologue

今回の本に掲載している作品の元になったのは、以前から作っていた「盆景劇場」というスタイルの作品です。いろいろなキャラクタと盆栽のような要素を組み合わせて、本物の盆栽のように見える、かわいいジオラマ作品ができるのではないか……それがこの一連の作品の着想の原点でした。 このジオラマのいいところは、手のひらサイズで全体をすぐに見渡せる大きさなところ、そして実際の盆栽と違って、水をあげなくてもいいところです。あくまでジオラマ、本物の草木や苔のように見える“模型”なので、盆栽よりも短時間で作ることができるし、管理もお手軽です。

ジオラマの中ではすべての要素をコントロールできます。その点を生かし、この本では小さなジオラマに様々な物語を目一杯詰め込みました。実際の工作よりも、それらのアイデアをたくさん出す方に気を使ったかもしれません(笑)。また、ジオラマには動物たちも隠れています。そんな小さな物語や動物たちを探して、あれこれ想像を膨らませながらこの本を読む……。そんな楽しみ方をしてもらえれば、とても嬉しいです。

WildRiver荒川直人

Contents

『苔と木々とジオラマと』はこんな本です

ミリタリーからアニメ、映画を題材にしたもの、はたまた完全なオリジナルの作品に至るまで、多種多様なジオラマを自由自在に作る情景作家、WildRiver荒川直人。彼が作った「本物の盆栽のように見えるジオラマ」、そして手に取れるサイズのミニマムなジオラマをテーマにまとめあげたのが本書『苔と木々とジオラマと』である。タイトル通り、収録されている作品には全て共通して盆栽らしさをアピールする陶器や器のベース、自然木などを加工した樹木の要素、そしてなにより、本物の苔のように見える手法で作られた美しく茂った緑群が使われている。

これらの作品の美しさを味わい、さらに荒川氏の作品に込められたセンスやテクニックを読み解くのが、本書の目的である。長年情景作家として活躍してきただけのことはあり、荒川氏の作品には様々なトリックや見せ場、鑑賞する人へのサービスがちりばめられている。それらを写真で見つつ、情景の中に埋め込まれた様々な要素を見つけ、味わってほしい。

そして荒川氏の作品の特徴が、極端に入手しづらい素材を使っていない点だ。本書に収録されているのは、どれも身近な素材や道具を使って作られた作品なのである。ということで、本書には荒川氏のジオラマを支える具体的なジオラマの作り方や材料などもたっぷり収録した。願わくばこの本を読んで、自分でも苔と樹木を使ったジオラマ作りに挑戦してみていただきたい。想像以上に豊かな時間を過ごせるはずだ。

Chapter10　ずっと、かくれんぼ（124ページ）

Before production No.1

"苔ジオラマ"の材料たち

荒川氏が使う素材の数はそれほど多くない。特に、ヘビーローテーションされている素材はごく限られたもの。特定の素材を様々な題材の作品に使うことで、シリーズを通した統一感が出ているのだ。

各種の陶器

一般的に販売されている陶器類をジオラマのベースに。「盆栽」的なエッセンスを足すため、和風なものを選ぶ。

木製ブロック

こちらも、左下の作品のようにベースに使う木製ブロック。荒川氏はヒノキ製のものを使うことが多い。

スタイロフォーム

切り出して、地面となる紙粘土の下に埋める。軽く、ボリュームのある地形を作ることができる。

ハーティソフトホワイト

きのこを作るための粘土。乾燥後はアクリルガッシュで塗装する事もできる。

バークチップ

色々な岩肌を作る事ができる園芸用木材チップ。形はバラバラなので、大型の袋で購入し、作りたいジオラマに合う物を選んで使う。

ファインリーフフォーリッジ

鉄道模型で木の葉を作るための素材。木々を表現する時に使う。翠系の他、紅葉を表現できる赤系の物もある。

ジョーフィックス社製のジオラマ用草葉素材

鉄道模型用などに素材を発売している、ジョーフィックス製の草用素材。色や大きさごとに種類がある。

プラスモデル社製のジオラマ用葉素材

緑、赤、葉の形状などに種類があり、葉脈までついて再現度が高い。少し曲げてから使用するとより自然に。

瞬着硬化スプレー

瞬間接着剤用の硬化スプレーは時短のために欠かせない道具。色々な素材を高速で接着することができる。

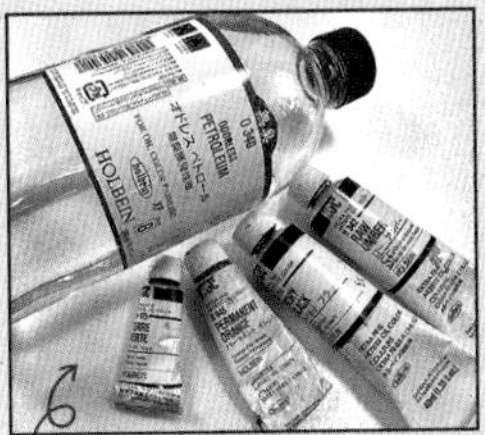

油彩用絵の具

油彩絵の具は汚し塗装に多用する。薄めてシャバシャバの状態にし、色を重ねるようにして何層も塗る。

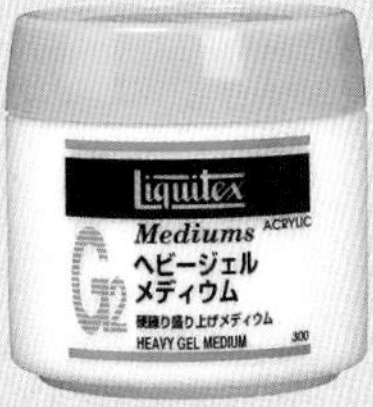

ヘビージェルメディウム

乾燥前はジェル状だが、乾くと透明になる素材。水面の波立ちを表現する時に塗り重ねて波紋を作る。

Before production No.2

苔ジオラマの基本、"ドロドロ液"と"コケ化"

荒川氏が地面を作る際の定番テクニックが、「ドロドロ液」を使った手法。各種素材と組み合わせてこの方法を使えば、苔や草木に覆われたしっとりとした地面を簡単に作ることができるのだ。

手触りすら感じさせる、リアルな地面を作るには

この地面は、ダイソーのソフト軽量紙粘土(黒)を盛り付けた上に、この紙粘土を半液状にした「ドロドロ液」を塗り、その上に各種の草用素材を撒いて作る。

ポイントは粗めの草の素材を使うことと、撒いた後に表面を指で押さえ、下にあるドロドロ液の黒色を滲み出させることだ。

ドロドロ液を使えば、簡単にリアルな地面が作れる

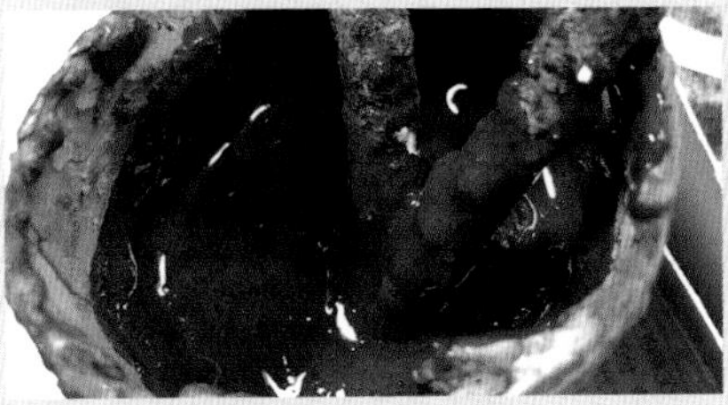

ドロドロ液は乾燥するとしっかりと硬く固まるため、下に紙粘土を埋め込まず直接陶器の器の中に流し込むことも。その際に地面に生やす大型の木なども一緒に埋め込んで固定することができる。

ドロドロ液が硬化する前に鉄道模型用の草用素材などを撒いておくと、しっかり定着して逆さまにしても落ちてこなくなる。その際、草の素材は種類や粒の粗さを不揃いにするのがポイントだ。

ドロドロ液での地面作りに使用する素材

ふわっと軽いねんど
SOFT CLAY
ダイソーのソフト軽量紙粘土。硬化後も弾力があり、ひび割れも少ない。ドロドロ液を作るための原料としても使う素材。

木工用ボンド 速乾
一般に市販されている、いわゆる木工ボンドでもいいが、速乾タイプを使えばより手早く工作を進めることができる。

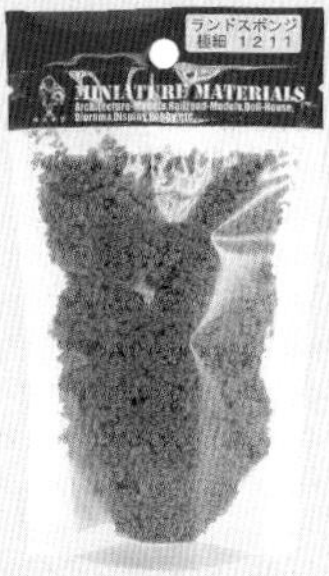

ランドスポンジ
苔を作るために使うスポンジ状の素材。鉄道模型店などで販売されているので、色々な種類を用意しておくと便利。

ターフ 緑色ブレンド T49
こちらも鉄道模型で草を作るためのパウダー。色ごとにわけて小型のタッパーに入れて保存しておくと使いやすい。

ポプリ
一般的に販売されているポプリ。ミキサーにかけて粉々にしておき、ドロドロ液の上に撒くと枯れ葉を再現できる。

茶色の葉（秋の落葉／枯葉）
こちらは鉄道模型用に販売されている枯れ葉の素材。これもドロドロ液の上に撒いておくと、枯れ葉を表現できる。

ドロドロ液の作り方

① 500mlのペットボトルを半分くらいの所でカットし、ドロドロ液を作るための容器を作っておく。

② ソフト軽量紙粘土を細かくちぎってボトルに入れ、粘土と水が1:1になるよう水を加えてから、割り箸やヘラなどを使って均一になるようよく混ぜ合わせる。

③ 混ぜていた割り箸からドロドロと落ちるくらいの粘度になるよう、水の量を加減して調節する。

④ 木工用ボンドを容器の縁にそって3周ほど円を描くように入れ、さらによくかき混ぜて完成。

⑤ 保存するときは、容器の上からラップをかけて、輪ゴムやマスキングテープで封をしておく。

Point

長期保存したドロドロ液でも、水とボンドを足して再度かき混ぜれば再利用が可能。また、ある程度固まった紙粘土を使っても、ドロドロ液を作ることができる。

ドロドロ液を使って"コケ化"する

鉄道模型用のパウダーは、粒の大きさによって種類が異なる。それらは専用の取り皿にとりわけ、保存する時には中身をマジックで書いたタッパーに入れておく。主に使用しているのはKATO社製のターフ、緑色(T64)、緑色ブレンド(T49)など。

枯れ葉が積もった地面の下地に使うのは、ジオラマ用の細かな枯れ葉や、百円均一で売られているポプリのセットをミキサーで粉砕したもの。これらを組み合わせておき、草用の素材とは別に小皿に取り分けておくと使いやすいだろう。

ドロドロ液を使って、苔むした地面を作るには

ドロドロ液をよくかき混ぜ、筆を使って地面部分に塗る。一度に大きい面積を塗ろうとせず、部分ごと何回かに分けて地面を作る。

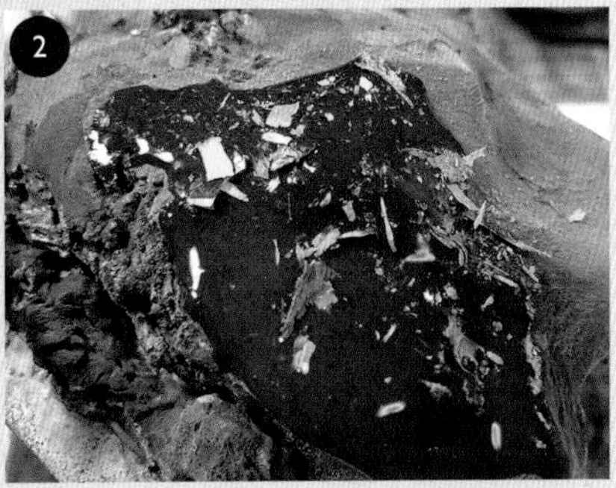

草地や苔の部分を作る前に、まず先に下地として枯れ葉の素材を撒く。指で掴み、撒き方が均一にならないように注意しながら撒こう。

下地になる枯れ葉の素材を撒いたら、ドロドロ液が固まる前に緑系のパウダーを全体に撒く。所々ドロドロ液の黒色が見えていても問題ない。

撒いたパウダーを指で軽く押す。すると下地のドロドロ液がグリーン部分に滲み出してきて、微妙かつ自然なグラデーションが生まれる。

ドロドロ液を滲み出させた状態。この工程を入れることで、ただ単にパウダーを撒いただけの状態よりも地面の表現に変化が生まれる。

目が粗いパウダーを盛り上げるように乗せることもできる。さらにパウダーとドロドロ液を重ねて、より高い盛り上がりを作ることも可能。

Before production No.3

プリザーブド処理で植物を作ろう

植物から水分を抜き、生木よりも長持ちさせるプリザーブドフラワー。手芸としても人気のあるプリザーブドフラワーだが、ジオラマ内の樹木を表現する方法として使えるのだ。

ちょっと背の高い草などを再現するのに使えるプリザーブドフラワー。なんせ本物の草花を使っているから、リアルさは抜群だ。

常日頃からプリザーブドできそうな植物を自宅で育てておき、プリザーブド処理して保存しておくのが荒川流。

プリザーブド処理でジオラマに使える草花あれこれ

シダ系植物の葉が薄いものもプリザーブド処理が可能。外で拾ってきたものでもいい。

荒川氏がジオラマでよく使う、アスパラガス・スプレンゲリー。尖った葉が特徴な草だ。

こちらもアスパラガス・スプレンゲリー。荒川氏は自宅で栽培し、随時ジオラマで使う。

プリザーブドフラワー加工液で植物を処理する

プリザーブドフラワー加工液
フレッシュアートぷり液 スーパー
1液くん 染料入 若草色
(ライトグリーン)

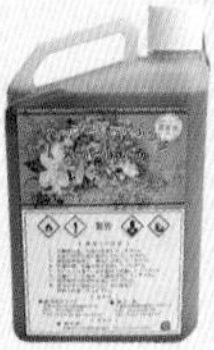

草系のプリザーブド処理を行なうのに荒川氏が愛用しているのが、この「1液くん」。一度の処理でジオラマで使用できるようになる。プリザーブド処理すると植物が透明になるため、あらかじめグリーン系の染料が入っている物を使用すると工程を省くことができて楽だ。

プリザーブド処理の行ない方

① 作業をやるスペースには厚めの新聞紙を敷く(衣服に着くと落とせないので注意)。

② 大きく深さのあるタッパーに「1液くん」を入れる。

③ カットしてきた葉を漬け込む。揮発性が高いので必ず蓋をして密閉すること。飛び出してしまう枝葉がある時には、アルミホイルを上から被せる。

④ 最低10日ぐらいは漬け込む。期間はその液の使用頻度回数、漬け込む葉の厚さなどによって異なる。液が古くなってくるほど長めに浸けたほうがよい。

⑤ 液から取り出し、よく液を落として換気の良い場所で厚めの新聞紙の上で乾かす。長時間乾燥させるため、埃などが付着しないようなところで乾燥させよう。この乾燥には予想以上に時間がかかるので、1週間以上はやった方がよい。

Point

プリザーブド処理を行なったものは、永久的に状態を保持できるわけではないので注意。プリザーブド液は毒性もある化学物質なので、換気や廃棄などの処理には充分に注意が必要だ。

荒川氏が自宅で育てているタイム。細かな葉が特徴で、ジオラマの中で使いやすい。

タイムは細かいけれどしっかりした葉が特徴。ひとつひとつの芽を摘んで使用する。

これはプリザーブド処理が終わった後のタイムの葉。処理前と見た目は変わらない。

Before production No.4

自然木を使ってもっとリアルに

大きめな樹木の枝や、ジオラマ内に配置される丸太。そういった部分を作るため、自然木を使う。ちゃんと下処理をすれば、道に落ちている枝だって立派なジオラマの素材に早変わりするのだ。

ジオラマの中に置かれている大きな倒木や背の高い木など、自然木を使える場面はたくさんある。①本物の木だから、既成の素材では出せない風合いを手軽に盛り込めるのがありがたいところ。②しかしジオラマで使う前にはしっかりと下処理をし、後からトラブルが発生するのを防いでおく必要があるのだ。

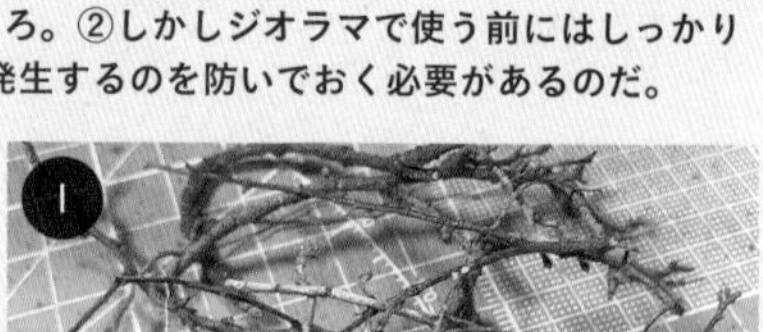

自然木を使うにあたって

1.電子レンジ処理

自然木は電子レンジで雑菌処理を行なう。最初は600wで3分ほど加熱し、その後は1分単位で数回に分けて加熱する。枝の大きさや太さによって加熱時間は変えるが、長時間レンジで加熱すると木が燃えるので絶対に目を離さないこと。

2.自然木の処理

電子レンジで殺菌した後、ツヤ消しのスプレーをたっぷりかけて乾燥させる。木の枝のエッジの部分など、工作中に破損したり取れたりしそうな部分には瞬間接着剤を流し込み、瞬着硬化スプレーをかけてそのまま硬化させる。

3.自宅で育てるなら

這性(はいせい)種のローズマリーがオススメ。ローズマリーは根から枝まで全部が使いやすいので、何年か育てたら根ごと掘って乾燥させ、電子レンジで殺菌処理する。

荒川氏が遊歩道で拾ってきた木々。必ず電子レンジで殺菌処理をかける。土がかかっているものや濡れているものは極力避けよう。

2年ほど育てた這性種の植物。根まで全部掘り出し、ジオラマで使う際にはしっかり乾燥させてから電子レンジで殺菌をかけて使用する。

ローズマリーには枝が立ち上がる立性種と這うように伸びる這性種があり、ジオラマ用には這性種を数年かけて育てる必要がある。

Chapter04　あわてんぼう木こり（58ページ）

Chapter.02　つり浮島（42ページ）

MILK House
Pflanzen
MILCH

Chapter03　ミルクハウス（50ページ）

Chapter04　あわてんぼう木こり（58ページ）

2

Chapter05　発進!!(66ページ)

Chapter06　僕らの秘密基地(74ページ)

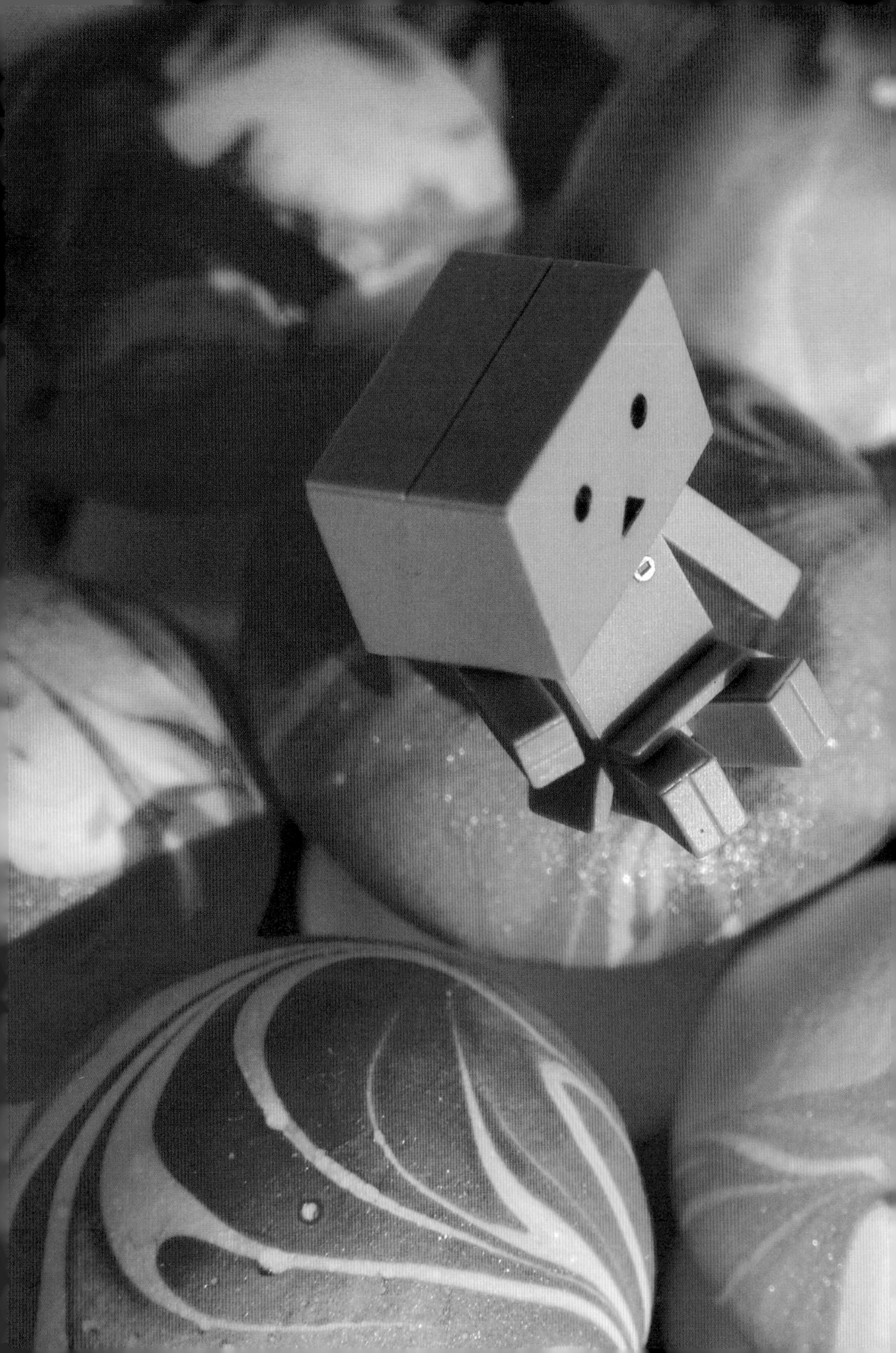

Chapter07　レインボーマッシュルーム・トランポリン（84ページ）

Chapter 01

Hyokkori Tsukushi

ひょっこりツクシ

つくしの芽生えを最大限強調するシンプルな構成。
荒川流ジオラマのエッセンスが詰め込まれた作品

Work description

きのこの傘の下で、芽生えたつくし。そのシチュエーション通り、「ひょっこりツクシ」と名付けられたこの作品には、盆栽的なジオラマのコアな要素がコンパクトかつシンプルにまとめられている。

小さな立方体型の木製ブロックの上に、余白を残しつつ盛り付けられた地面。このベースは紙粘土と木工ボンドを混ぜたもので作られ、草用の素材とプリザーブドフラワーを使った草地で、まるで苔のような質感を表現している。キノコは紙粘土で作られ、そこにちょこんとフィギュアが添えられている……。小さなベースの上に必要なものが全部揃っているのだ。この「ひょっこりツクシ」には、「必要最小限の要素で豊かなストーリーを感じさせる」という荒川作品の醍醐味が込められている。

春の訪れを感じさせるつくしと、大きなきのこ
シンプルなストーリーを、ミニマルな要素で感じさせる

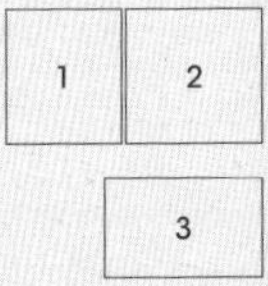

1.ベースの片隅には隠し動物のもぐらがひょっこりと顔を覗かせている。

2.つくしはエポキシパテで製作。

3.地面は切り出したスタイロフォームの塊の上に紙粘土を盛って作った。

荒川氏による「ひょっこりツクシ」のチェックポイント

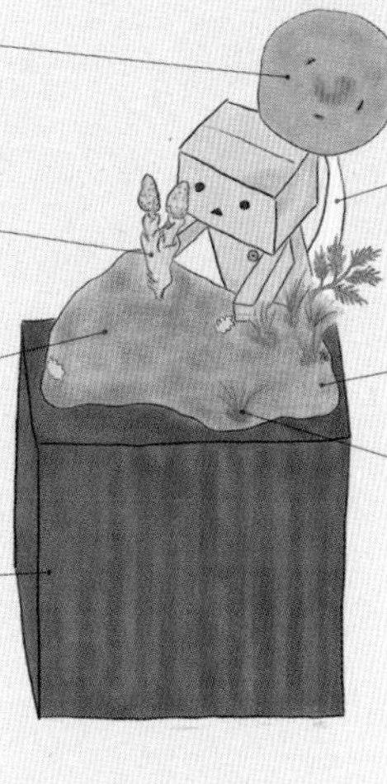

ベースに使うのはサイコロ状にカットされたヒノキの木片。表面はヤスリをかけて整える。

木材に色を付けるためオイルステイン(色はウォルナット)を、筆を使ってベースに塗る。

オイルステインが乾いた所でボロ布で塗った面を磨き、ベース表面の木目を強調する。

好きな色になるまでオイルステインを塗って磨く。回数が増えるほど色は濃くなる。

ニスで光沢を出す方法もあるが、オイルステインを使った方が自然な仕上がりになる。

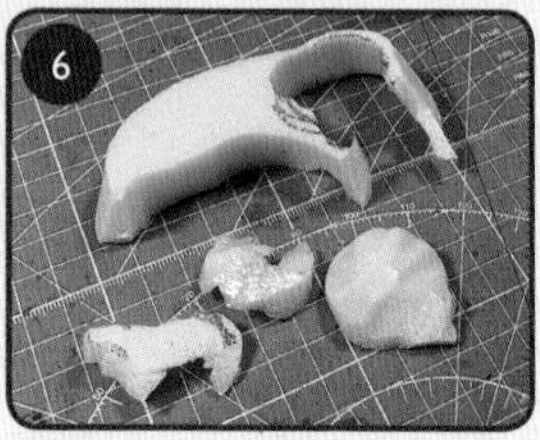

地面の出っ張りを作るため電熱式のスチロールカッターでスタイロフォームを切り出す。

オイルステインで仕上げたベースに、木工用ボンドを使ってスタイロフォームを貼る。

ベースの木の部分にマスキングテープを貼り、地面の材料が付着しないようにしておく。

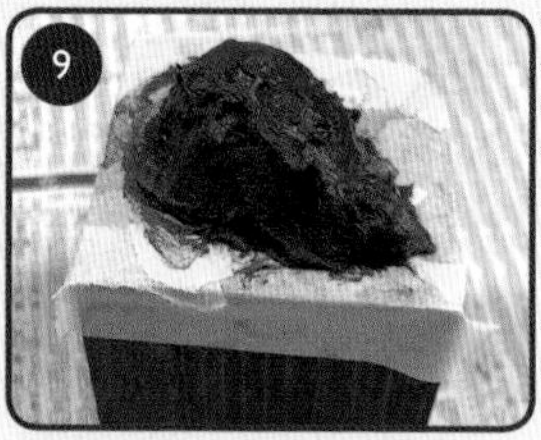

地面の下地を作るため、あらかじめ作っておいたドロドロ液をスタイロフォームに塗る。

下地用のドロドロ液が固まったら、鉄道模型のグリーン系パウダーを使って苔を生やす。

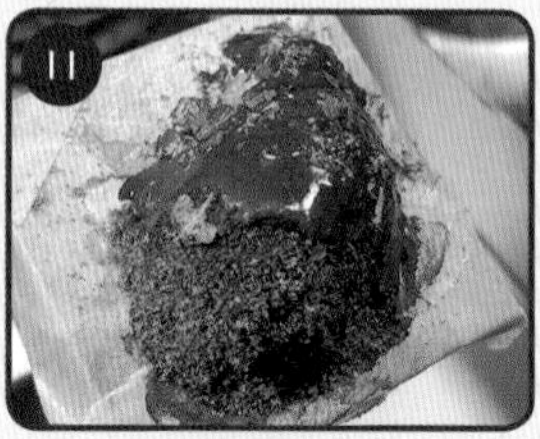

ドロドロ液を塗り、その上から枯れ葉やポプリを粉砕した茶系の粉をまばらに撒く。

数種類のグリーン系パウダーを上から撒き、固まる前のドロドロ液に指で押し付ける。

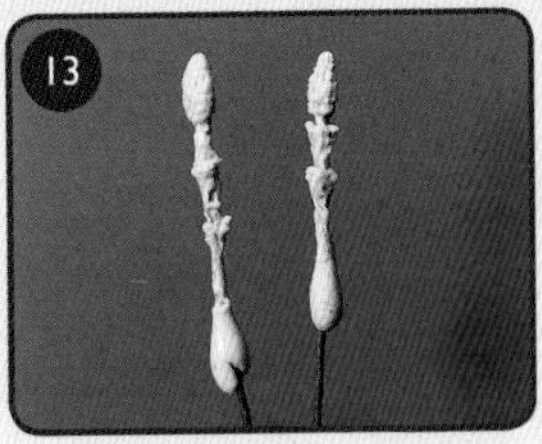

造花用の針金を芯に、タミヤのエポキシパテを盛りつけてつくしの形を作っていく。

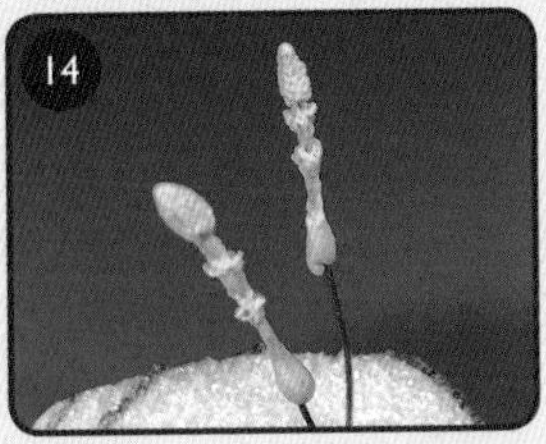

エポキシパテが固まった後、サンド系のスプレーを使って全体に下地の色を吹き付ける。

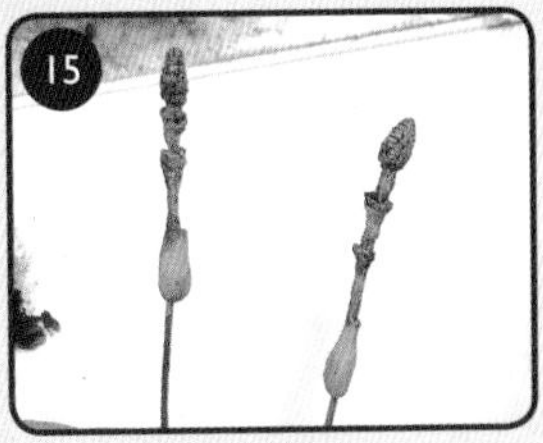

油彩絵の具の茶色、黒、オレンジをシャブシャブに薄めたもので、表面に色を重ねる。

地面につくしを差してボンドで固定する。フィギュアの目線がつくしに合うよう注意。

フィギュアのポーズの角度を合わせせる。首の向きを下向きにするため、前部をカットする。

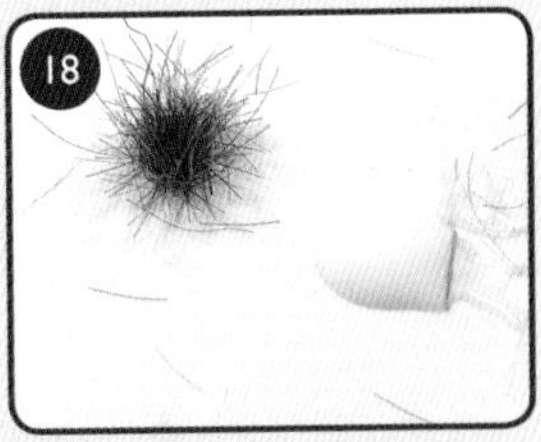

周囲の長めの草をはやすため、市販されているフェイクグラスを木工用ボンドで植える。

丈の長い草の一部には、シダ系植物を自宅でプリザーブド処理したものを使っている。

ベースの各所には穴を掘っておく。これらは隠し動物のモグラが掘ったものという想定。

全体のポイントとなる、オレンジ色の大きなキノコをベースに固定し、作品は完成だ。

Point

地面の苔と竹の高い草は一緒に植えず、地面の苔を仕上げてフィギュアなどの配置を決めてから、プリザーブド処理した植物などを植えていくとスムーズに仕上がる。

Chapter 02

Fishing island

つり浮島

浮島の釣り場には、釣り竿でバランスをとりながら、島と島の間のつるを渡らなければならない。今日は大物が釣れたのかな？

Work description

不思議な浮島を伝い、釣りにでかける2人。ところが、釣り糸の先は思わぬものに絡まっていて……。

なんともファンタジックな世界観の作品だ。この作品のテーマは「浮遊感」。重力が働いていない感じを出すべく、浮島は一点でベースに固定し、さらに細かい島々は曲げた針金を使って浮かせている。

と、いうのは簡単だが、これを実現するためには様々な技法が使われている。島を軽く作るための素材の知識や、その軽い島を見るからに重そうに見せるための塗装の技法。さらには曲げた針金をツタに見せるためのテクニックや、全体的な島やベースに対する配置のセンス……。荒川氏がこれまで手掛けてきた作品での蓄積があったからこそ実現した、ちょっと不思議な雰囲気のジオラマだ。

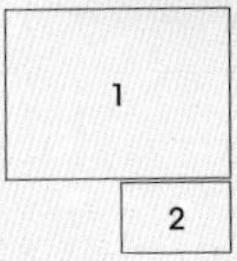

1.浮島の芯になっているのは、削り出したスタイロフォーム。上には木が植えられている。

2.フィギュアは釣り具でバランスを取るポーズに。

荒川氏による「つり浮島」のチェックポイント

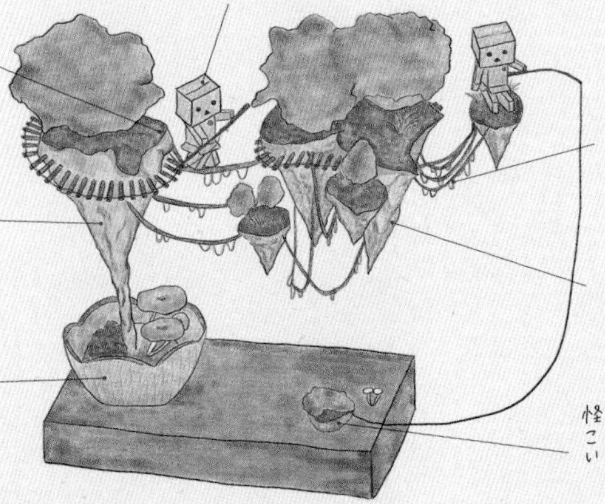

宙に浮いた不思議な島で、空中の釣りを楽しむ
浮遊感の演出と、巧みな色彩構成に注目しよう

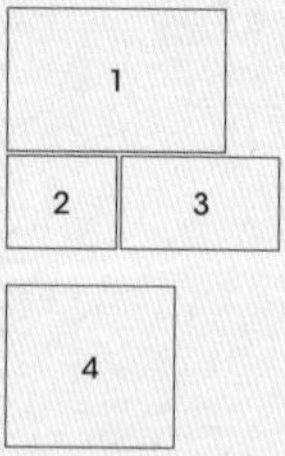

1.一番端の島で釣りをするフィギュアは座ったポーズにしている。

2.小鉢の中に配置されているきのこ。赤色の傘はよく目立つ。

3.ツタに見えるが、その中身は金属線。これが浮かんでいる島の中を通り、しっかりと島々を固定している。

4.釣り糸が引っかかっている小島。浮かんでいないこの島をよく見ると実は……という仕掛けだ。

小鉢に穴を開けて太さ2㎜の真ちゅう線を差し込み、裏側で円を描くように曲げて固定する。

陶器の穴に木ネジを通して、小鉢の内側にベースとの固定に使う角材を取り付ける。

ベースには厚みのある板を選び、ネジに合わせた穴を開けて小鉢をしっかり固定する。

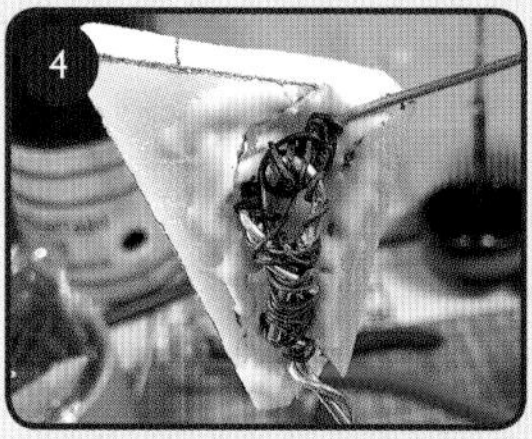

メインの真ちゅう線に、第二、第三の浮島を支えるための真ちゅう線を絡ませ結合する。

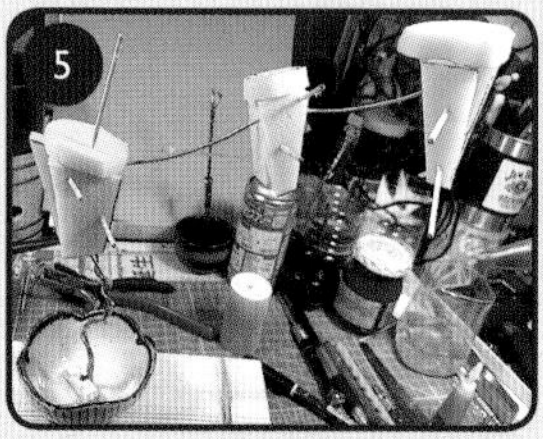

第一の島の形に切り出したスタイロフォームを、真ちゅう線を挟むように貼り付ける。

島の形に切り出したスタイロフォームに、パテを貼り付けて岩肌の部分を作っておく。

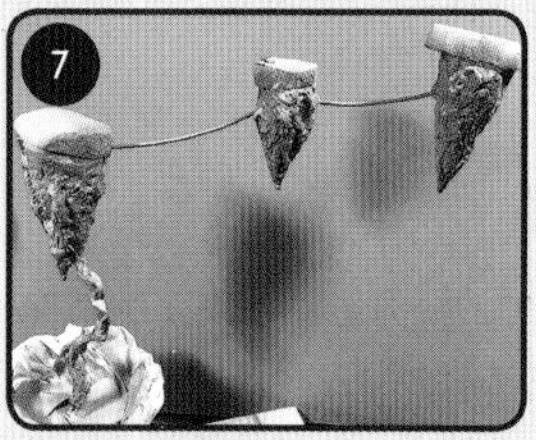

周囲の小型の浮島もスタイロフォームを芯にして形を出し、パテで岩肌を作っておく。

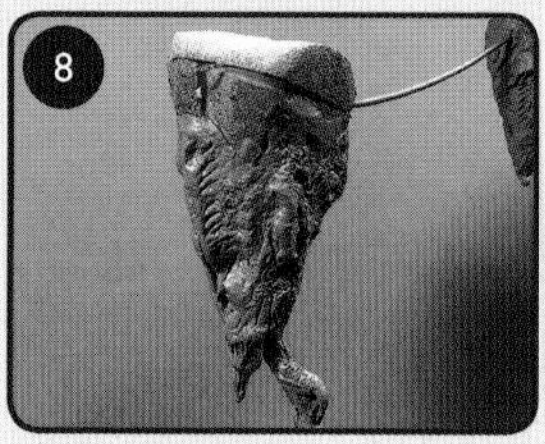

下の陶器の部分にマスキングをし、島の部分にグレーのサーフェイサーを吹き付ける。

各島の上部に木工用ボンドを塗り、紙粘土を擦り込むように乗せて島の上部の形を作る。

他のジオラマと同じように、ドロドロ液とパウダーを使って苔が生えた地面を作る。

浮島の表面に苔が生えた状態。岩肌の部分もまばらに見えるようにしておくと自然だ。

カットした竹ひごを浮島に突き刺し、周囲にほぐした麻ひもを接着して渡り廊下を作る。

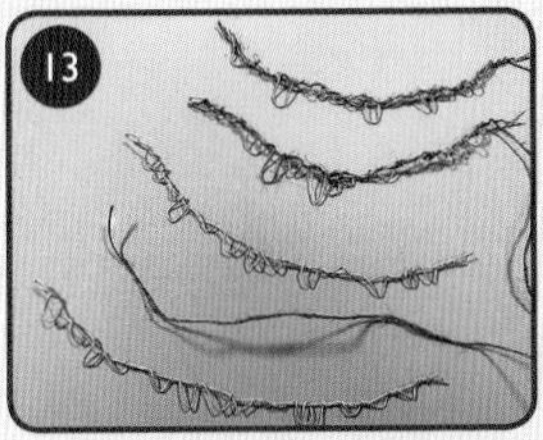

造花用の紙針金を2本一組で編み、ツタのように組み上げたものを何本も作っておく。

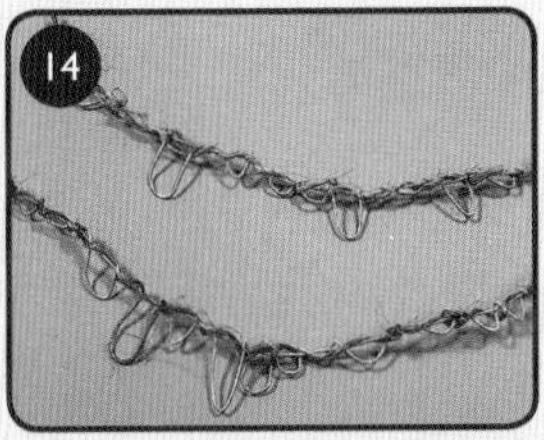

組み上げた針金に、麻紐をほぐしたものを巻き付け、ツタ状のディテールをつけていく。

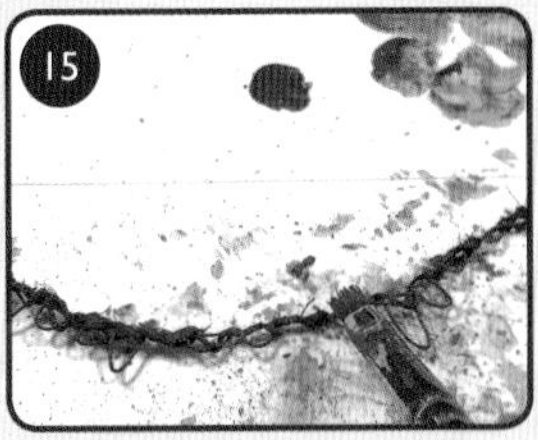

見た目がツタらしくなったところで、グリーン系のアクリルガッシュを表面に塗る。

それぞれの島の間に針金のツタをわたしていく。下向きにカーブを付けると自然に。

ツタの部分に薄く木工用ボンドを塗り、綿棒に付けたグリーン系のパウダーを乗せる。

木の葉には鉄道模型用の草用素材であるファインリーフ・フォーリッジを使う。

浮島全体に苔を生やし、ツタを島の間に渡したところ。この後は要所に木を植える工程。

自然木の枝をバラしつつ、木工用ボンドを付けながら島の表面に突き刺して木の幹にする。

木製のベースの表面にもスタイロフォームで小島を作り、ドロドロ液を使って苔を生やす。

小鉢の中と台座の板に明るめに塗った小さなキノコを植え、ワンポイントとして完成。

Point

島の形の芯になるスタイロフォーム。スタイロフォーム同士を接着して形を出す時には、つまようじを突き刺して仮固定するとしっかりと貼り付けることができる。小島と苔で表現されたねずみにも注目してほしい。

Chapter 03

Milk house

ミルクハウス

朝早くからミルクを売りに出かける。夜、ハウスの中は暖かな暖炉と、外には青く光り出す、月アオダケがこの家を守ってくれる

Work description

森の中に佇む、小さな牛乳屋さん。そのものずばり「ミルクハウス」と名付けられたこの作品は、静かな夜の風景を感じさせる。

特徴となるのは暖炉の明かり。「ミルクハウス」は電飾が施された作品だが、これは荒川氏も得意とするテクニック。この作品ではPICのマイコンを使って電飾をコントロールし、回路はミルクハウスの中に収納。これによって、揺らめく炎の光を表現しているのだ。

また、丸い出入り口があるミルクハウスの前面部分には、1/72スケールの戦車のプラモデルの部品を使った。これによって、卓上情景作品ではちょっと珍しい、メカニカルな雰囲気をプラスした。電飾による演出と相まって、他にない独特な味わいとなっている。

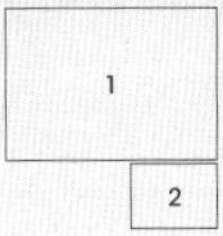

1.ミルクハウスの外壁部分は、スタイロフォームのブロックで作成。岩場のような色合いに仕上げている。よく見るとハシブトガラスの顔に。

2.ジオラマの中には小さな小さな蛍も配置。この蛍も室内の電飾と連動しているので、暖炉と一緒に光る。

荒川氏による「ミルクハウス」のチェックポイント

森の中にひっそり佇む、小さなミルクハウス
幻想的な光のギミックで、静かな時間を演出する

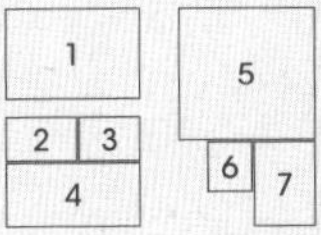

1.ミルクハウスの岩壁の苔にも注目。

2.月アオダケは透明な樹脂で作られている。

3.フィギュアは牛乳のケースを持っているポーズに。

4.扉の裏面などには、室内の内装が作り込まれている。

5.6.電飾のスイッチを入れれば、全体は一気に幻想的な雰囲気に。月アオダケはもとより、片隅にいる蛍のお尻にもLEDが仕込まれていて、ちゃんと光る。

7.暖炉だけではなく、室内のランプも点灯する。

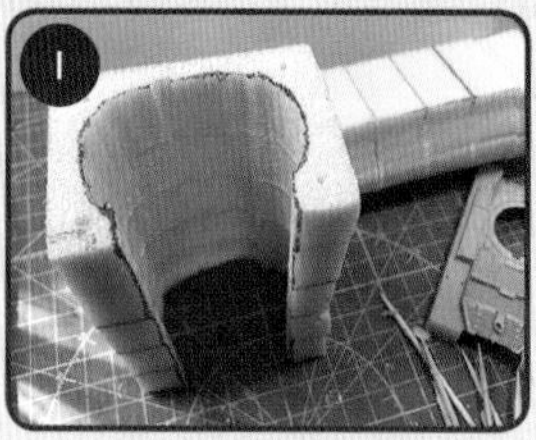

スタイロフォームのブロックで、家のベースを作る。大きさは戦車のパーツに合わせる。

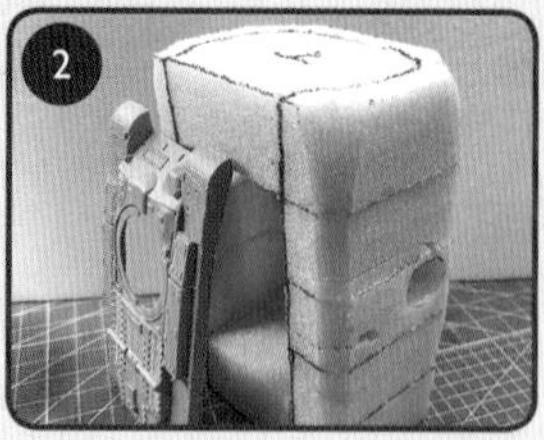

スチロールカッターを使ってブロックを切り出し、ミルクハウスのおよその形を出す。

スタイロフォームの表面に紙粘土を擦り込むようにして盛りつけ、表面の下地を作る。

家の中はスタイロフォームのザラザラ感を活かし、ドロドロ液を内部に塗っておく。

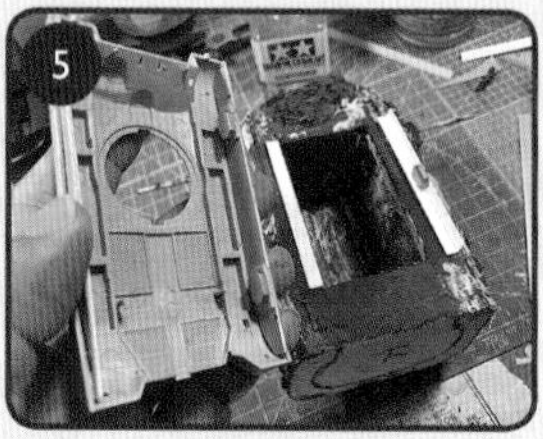

扉となる戦車のボディには磁石を仕込み、完成後も取り外して中を見られるようにする。

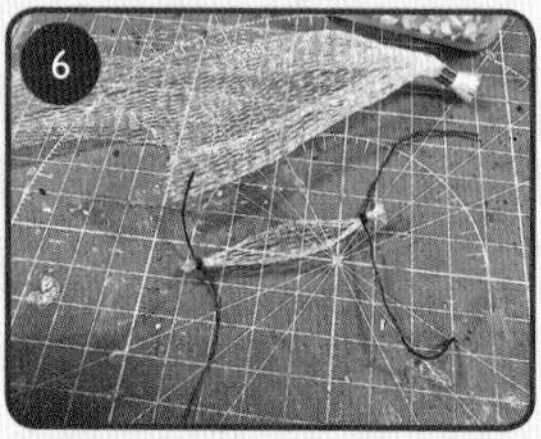

お菓子のネットを切り出し、端の部分をほぐした麻紐で結んでハンモックを作る。

室内の壁際に薄い小石を積み上げて瞬間接着剤で固定し、ミルクハウス内の暖炉を作る。

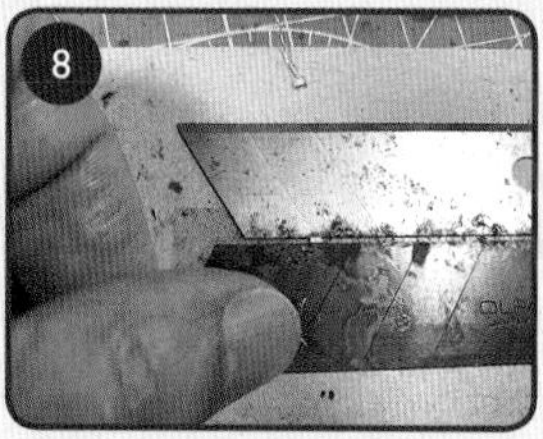

チップLEDは熱に弱いため、カッターの刃で上下を挟んで保護しながらハンダ付けする。

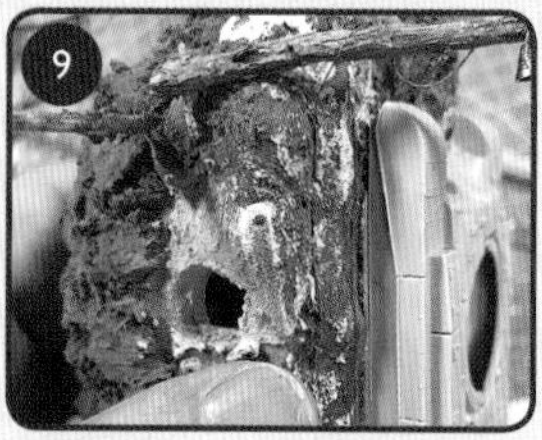

通電を確認した後、瞬間接着剤で配線したLEDの部分を固定。完全に動かないようにする。

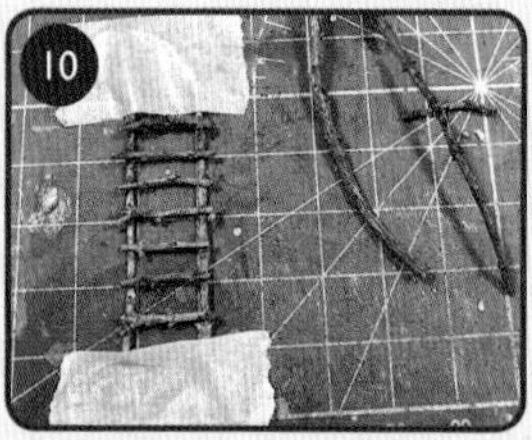

ミルクハウスの出入り口となるハシゴは、タイムの枝を乾燥させたものを使って作成。

戦車砲塔部分とドアとなる車輪に磁石を瞬間接着剤で固定、扉を開閉できるようにした。

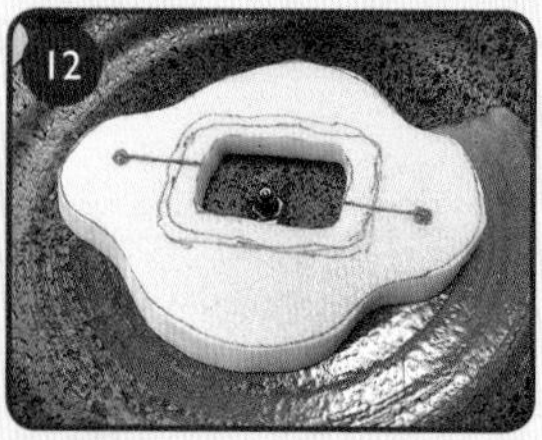

穴を開けた皿にAC電源のコネクターを固定し、ベースとなるスタイロフォームも接着。

暖炉の炎を表現するため、ビニール包装紙の赤い部分を切って指で揉んだものを用意。

ひとつのLEDにレッドとオレンジの2色が組み込まれた2色LEDで暖炉の炎を表現する。

発光ギミックはプログラムを自作し、蛍と暖炉の点灯のタイミングを制御している。

LEDは6つを接続。これらをマイコンで制御し、月アオタケと蛍と暖炉を発光させる。

月アオタケは半透明の粘土「透けるくん」で全体の形を作り、薄い茶系の油彩で塗装した。

全体の塗装は白でランダムに下地を作った後、アクリルガッシュの絵の具を使って施す。

アクリルガッシュの塗装が乾いたら、油彩絵の具を薄めた物を使って汚し塗装を行なう。

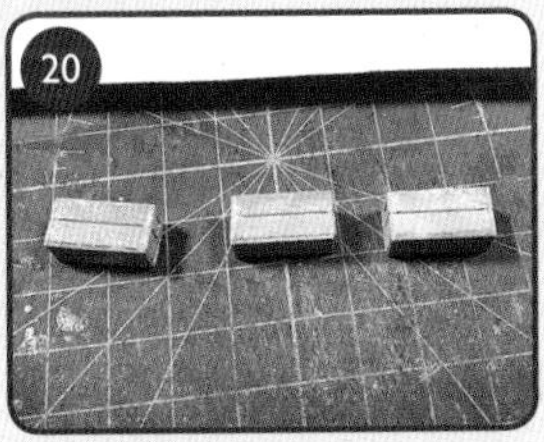

フィギュアが運ぶミルク瓶の箱は、1/35スケールのプラモデルの部品を流用している。

ミルクハウスの室内にある棚の上には、小さな花と人形を配置して賑やかな雰囲気に。

蛍はエポキシパテで作成。光ファイバーを通して、お尻の部分が光るように加工している。

Point

左右の月アオタケ、暖炉の炎、看板のライト、室内のライトに仕込まれた電飾は、全て自作プログラムで制御。展示するときは皿の裏からACアダプタのコネクタを挿す。

Chapter 04

Awatenbo Kikori

あわてんぼう木こり

倒木を加工する木こり職人たち。しかしニワトリのいたずらで、
ロープウインチのブレーキハンドルが……！

Work description

荒川氏お得意の、どの方向から見てもストーリーが楽しめる構成の作品。ベースにはメインのストラクチャーである大きな倒木が据えられ、それに取り付いて3体のフィギュアが倒木を木材へと加工しようとしている。。

正面からの構図だけではなく、ジオラマの全周をぐるりと回りながら眺めることで、このストーリーが立体的に立ち上がってくるこの「あわてんぼう木こり」。単純なストーリーの楽しさだけではなく、フィギュアよりもずっと大きな倒木を使って構図にダイナミックさを出し、さらに高さのある器を使うことで上方向へのボリューム感をつけるなど、ジオラマ全体を見渡した時の構成もお見事。全体で見たときに「こういう形の立体作品」としての面白さも備えた、完成度の高いジオラマと言えそうだ。

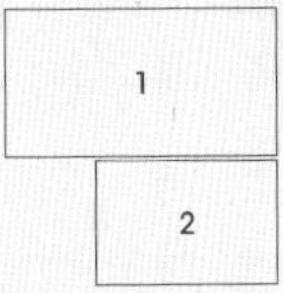

1.大きな倒木の上で、木の皮を剥がしているフィギュア。ただのノコギリではなく、槍鉋のような道具を持っているところにこだわりを感じる。

2.ウインチのレバーの上にはニワトリが。ウインチはプラ材やジャンクパーツで製作し、塗装でサビを再現して仕上げた。

荒川氏による「あわてんぼう木こり」のチェックポイント

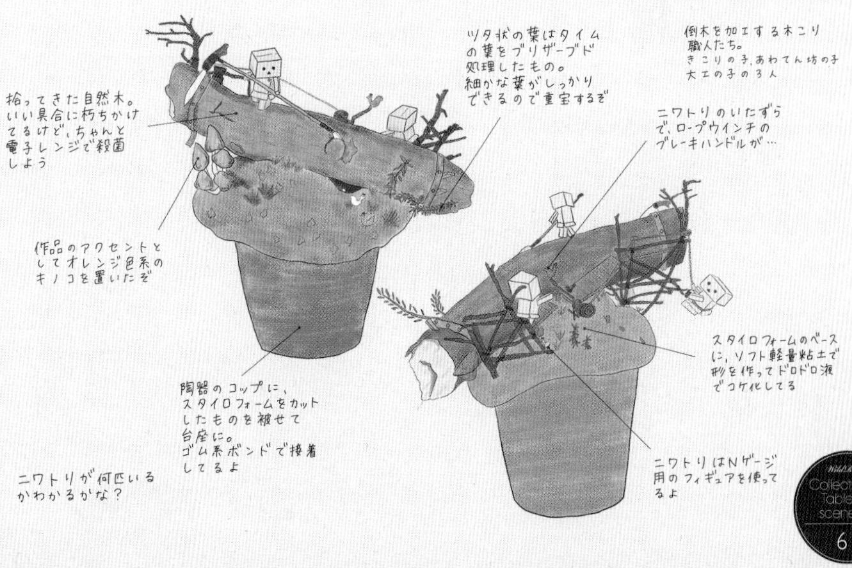

作業に精を出すその裏で、ウインチにはニワトリが……！
小さな舞台にストーリーを詰め込んだ、見どころの多い作品

1.大きなノコギリも配置。木の枝のグリップに注目。

2.ウインチに乗ったニワトリをどかそうとするフィギュア。

3.4.5.ウインチに乗ったもの以外にも、ジオラマ内には色々な場所にニワトリが。いずれもNゲージの鉄道模型用に市販されているもので、サイズはとても小さい。

6.7.ベースの中央に大きく転がった丸太は自然木。人口の素材では出せない風合いは、自然木の大きな魅力だ。

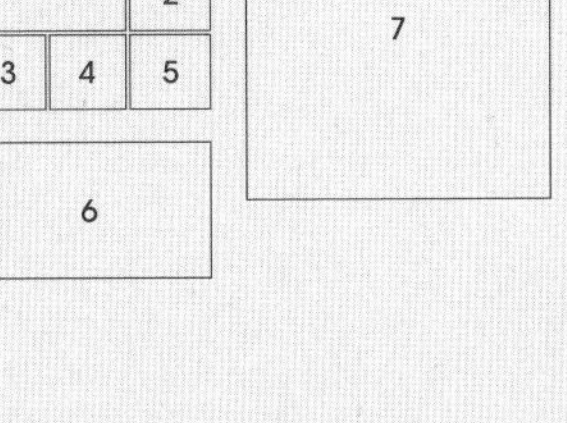

陶器のタンブラーに切り出したスタイロフォームを接着し、上から紙粘土を盛りつける。

上からドロドロ液と各種パウダーを使い、ベースの表面を苔むした状態に加工する。

ベースに緑道脇で拾ってきた自然木を配置。フィギュアを配置する台座とする。

台座のくぼんだ部分に自然木をはめこみ、コニシから発売されているゴム系ボンドで接着。

1㎜厚の鉛の板をカットし、木の両脇に巻き付けて、木材固定用の作業バンドを作る。

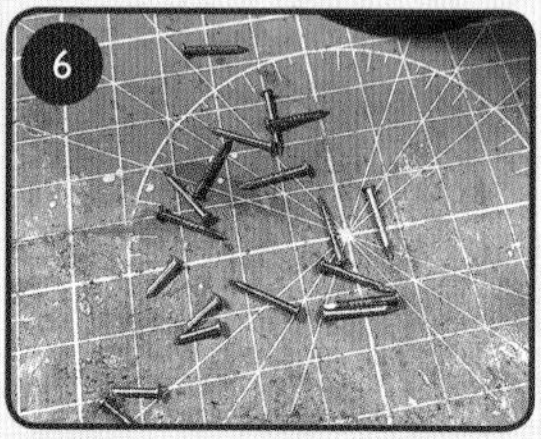

作業用バンドの鋲は、木材に等間隔に穴を開けた上から飾り釘をはめ込んで表現した。

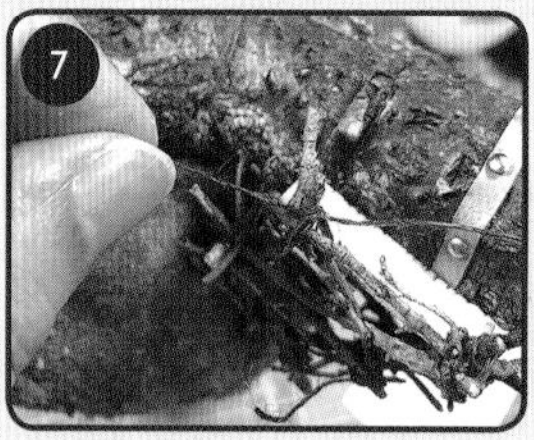

足場のロープは麻紐をほどいたものを使用。木材の各部に巻き付けて固定する。

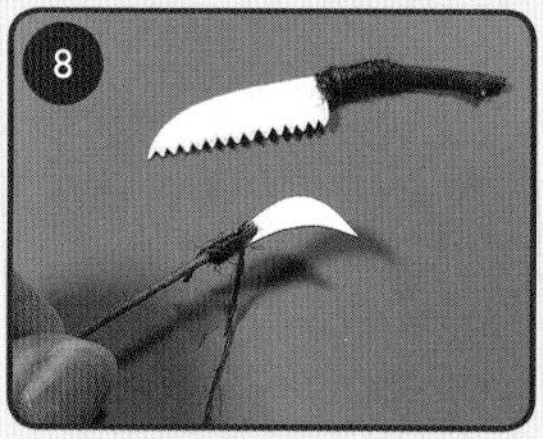

ノコギリや鎌の金属部分はプラ板製。金属色のアクリル塗料スプレーを吹き付けておく。

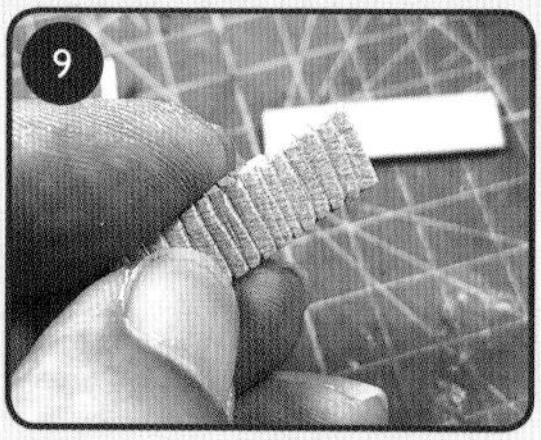

ネームプレート用の板に切り込みをたくさん入れ、指で段差を作って渡り板を作る。

木材の横に渡り板を配置。爪で段差を作っているので、複数の板のように見える。

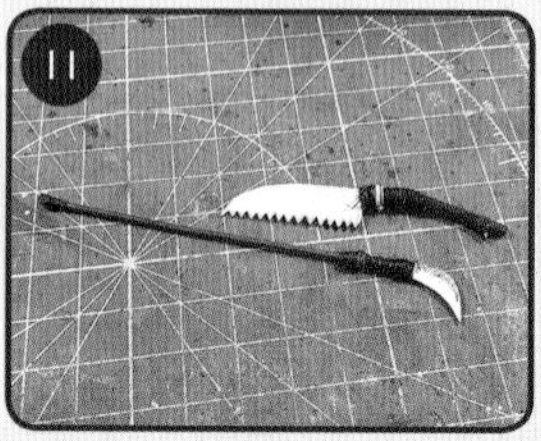

ノコギリと鎌の取手は自然木と造花用の針金で作り、麻紐を巻き付けて固定している。

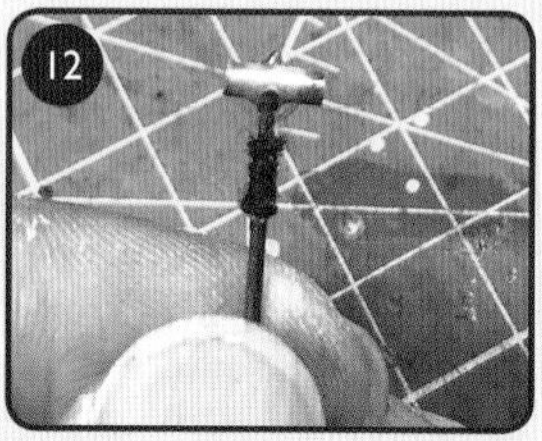

ハンマーは円柱状のプラ棒から頭の部分を削り出し、取手を麻紐で取り付けて完成。

空中に張ったロープにつかまるフィギュアには、造花用の針金を腰に巻いて命綱をつける。

ウィンチの巻き取り機械は、1/72スケールの戦車のプラモデルから部品を流用して制作。

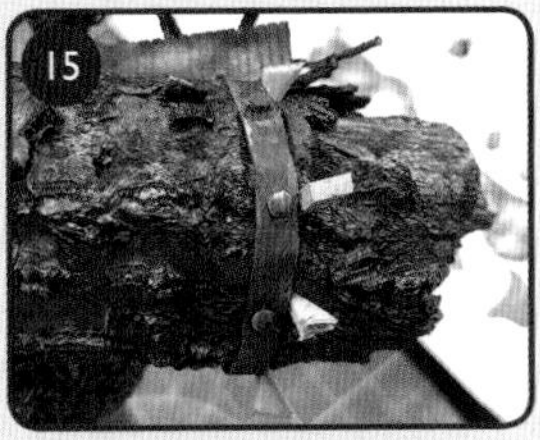

作業バンドはメタルブラックを塗り、その上にアクリルガッシュのレッドを薄めて塗る。

ウィンチの機械も作業バンドと同じように塗り、油彩の茶色やオレンジ色で錆びを描く。

ウィンチの巻き取り機をベースに取り付け、空中に張ったロープにフィギュアを吊る。

台座の地面部分に、草の素材を木工用ボンドで固定する。間隔が一定にならないよう注意。

慌てた状態のフィギュアは、頭の角度を前のめりになるよう一部をカットして調整する。

首の角度を調整した状態。ウィンチのブレーキをかけようとするポーズとなった。

ジオラマ各部に配置されたニワトリのフィギュアは、Nゲージ用に市販されているものだ。

ポイント色になるようオレンジ色のキノコを配置。傘のひだ部分には油彩の茶色を流す。

Point

空中にぶら下がっているフィギュアのアクシデントと、ウィンチのブレーキの上に配置したニワトリとのドタバタを盛り込み、ジオラマ全体にストーリーをつける。

Chapter 05

Start!!

発進!!

ヤシの木をかき分けて、地面から立ち上がったのはカタパルト。
今、秘密の機体が空へと飛び立つ！

Work description

一見何の変哲もない孤島。しかしそこには秘密基地が隠されていた。ジェットパックをつけ、フィギュアがカタパルトに登れば、発射台は空に向かって立ち上がる！

……という、秘密基地を題材にしたのがこの「発進!!」だ。フィギュアが乗る発射台のカタパルトはプラ板とプラモデルのジャンクパーツで製作し、メカニカルな雰囲気を演出している。ジオラマ全体のサイズに合わせて大きさなどをデフォルメしたヤシの葉は、造花用のクレープペーパーを加工して作り起こしている。

さらに、ヤシの木のどこかには、秘密を探りに来たスパイ豚が隠れているのだ。ジャングルマニアの荒川氏の遊び心を感じさせる作品となっている。

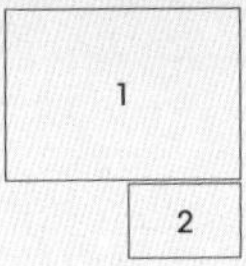

1.背中には、鉄道模型のパーツから作ったジェットパックが。

2.ジェットパックと同じく、カタパルトも各種プラモデルのジャンクパーツで組み立てられたもの。

荒川氏による「発進!!」のチェックポイント

南国の孤島、椰子の木陰に立ち上がるカタパルト
今、空へと飛び立つ！

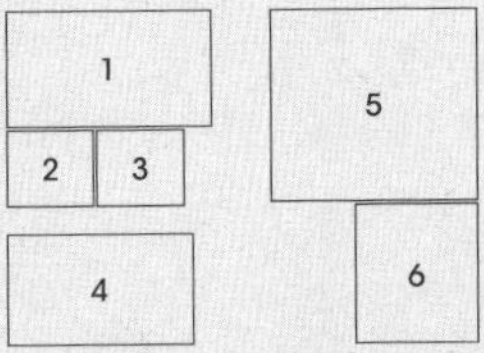

1.ヤシの木の根元付近には、木から落ちたヤシの実も配置されている。

2.3.ヤシの木の幹には、秘密基地をスパイしに来たブタが……！

4.ヤシの木の表現は荒川氏の得意とするところ。クレープペーパーを使ったヤシの葉の表現が見事だ。

5.上から見ると、メカニカルなカタパルトとヤシの木との対比が楽しい。

6.発射台の上に取り付けられたフィギュアの頭には、緑色の頭飾りが。

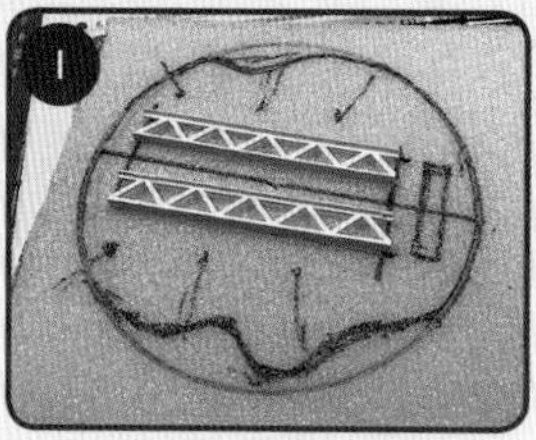

1

実際にパーツを置いてジオラマの地面の寸法を割り出し、スタイロフォームを切り取る。

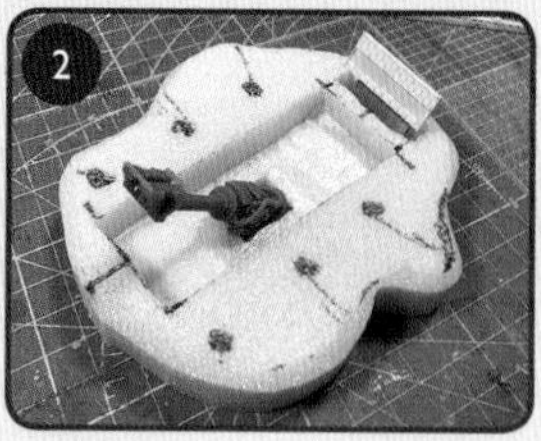

2

地面に埋め込まれて発射台を持ち上げるアームは、プラモデルの部品を流用して作成する。

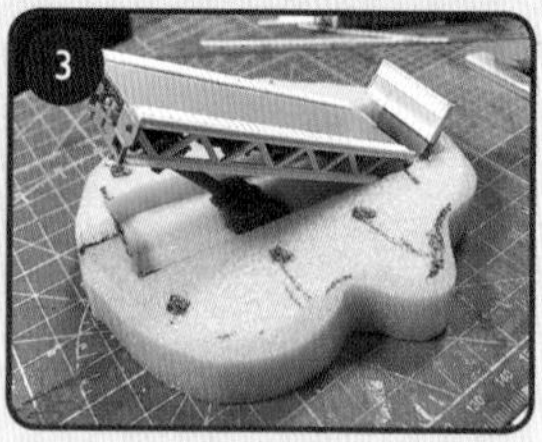

3

アームに発射台を乗せた状態。発射台も、各種のプラモデルの部品を組み合わせて作成。

4

造花用のクレープペーパーで、ヤシの葉の部分を作る。数枚まとめてカットするとよい。

5

葉を付けた針金を何本かまとめてよじる。幹の膨らみを作るため、エナメル線も巻く。

6

造花用のフローラルテープを幹に巻き、アクリルガッシュのサンド系色をその上から塗る。

7

油彩の茶色、オレンジ色を薄めたものを幹の部分に塗る。下地のグレーを残すように注意。

8

フィギュアの背中に取り付けられたロケットエンジンは、Nゲージ用のパーツを使った。

9

ヤシの木の幹に登っている小さな豚は、流用パーツではなくエポキシパテで造形した。

10

ジオラマのベースとなるスタイロフォームにヤシの木を仮置きし、全体のバランスを見る。

11

ベースに紙粘土を盛って整形し、乾燥後に塗装する。さらに別で仕上げた発射台も配置。

12

地面部分全体にドロドロ液と草用の素材で苔を生やし、乾燥後に全パーツを取り付ける。

Point

ヤシの木の幹にフローラルテープを巻く時は、なるべく引っ張りながら巻き付けて、下にあるエナメル線の凹凸が浮き出すようにする事で木の幹らしい形になる。

Chapter 06

Our secret base

僕らの秘密基地

とある島でのコルセア伝説で、大昔、空から降ってきた大きな鳥が洞窟の中に留まった。今ではみんなの秘密基地

Work description

こちらも荒川氏が得意とする、洞窟などの中を覗き込むタイプのピーピング・ジオラマ。ある日、島に大きな鳥が空から飛んできて、洞窟の中にそのまま収まった。以来その鳥は神様として扱われていて、その周囲は子供達の秘密基地になっている……という筋立てだ。

ジオラマ全体の構成も他で見ないものだが、もうひとつの特徴がこの作品に詰め込まれた要素の多さ。ジオラマ各部に散りばめられたフィギュアや動物の数、さらに内部には電飾まで仕込まれている。また、破損して錆びついている戦闘機コルセアの壊れ具合も見事。このあたりは、スケールモデルも手がける荒川氏ならお手の物という感じである。リアルな機械の質感と、ファンタジックな雰囲気が入り混じった、見どころの多い作品だ。

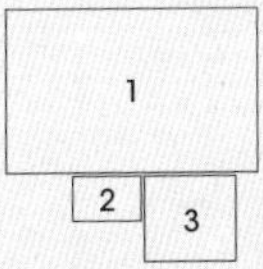

1.断崖の縁にはゴンドラの操作装置を配置。木の枝とプラスチック製の素材が組み合わされている。

2.フィギュアは様々な表情をつけて配置されている。

3.墜落しているのは1/72スケールのコルセアだ。

荒川氏による「僕らの秘密基地」のチェックポイント

洞窟の中に眠る、大きな鳥の神様
今ではそこは人とフィギュアたちが憩う秘密基地に

1
2
3

1.人間のフィギュアは、プライザーのHOゲージ(1/87)用のものを使っている。

2.洞窟の木は、真ちゅう線で芯を作り、その上からパテを盛って樹皮を作った。

3.フィギュア同士の対比が見られるのもこの作品の面白いところ。さらに水面も組み合わされており、要素が多い。

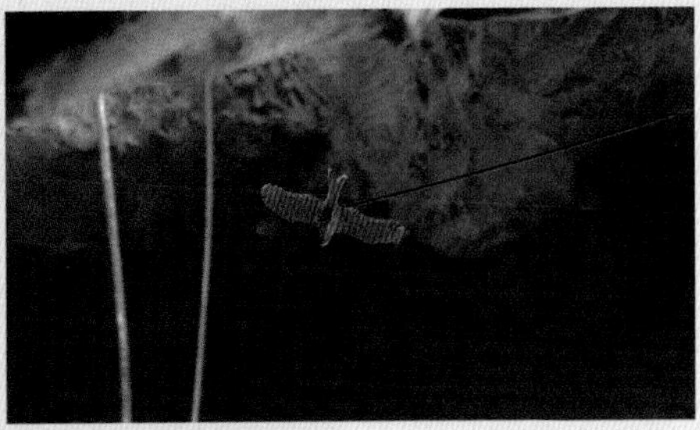

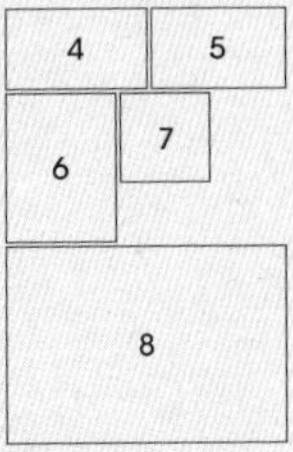

4.よく見ると崖の壁面にもフィギュアが登っている。

5.洞窟の中を飛ぶトンビなど、各部には動物も多い。

6.洞窟には、中に降りられるゴンドラも作られている。

7.ブリスターパックを使った滝には、水浴び中のフィギュアが。

8.洞窟の一番下、溜まった水を表現した透明アクリル板は、塗料の濃淡とアクリル板の厚みを生かして水の深さを表現した。

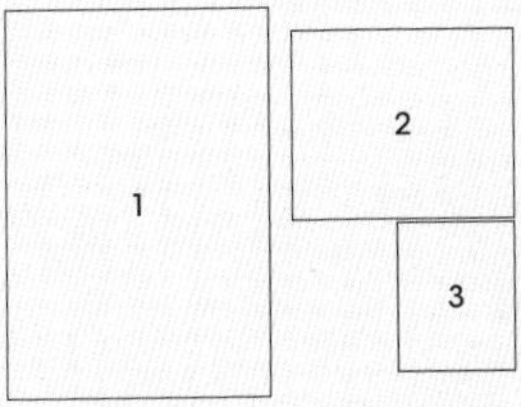

1.2.このジオラマにも電飾が仕込まれており、点灯すればコルセアを中心に幻想的な光が洞窟内を照らす。

3.ジオラマの外から見ればわかるように、洞窟の部分は外側から覗き込む構成。その鑑賞スタイルをより劇的に演出するため、この作品での電飾は上の穴から差し込む光をより強調するようなライティングとなっている。

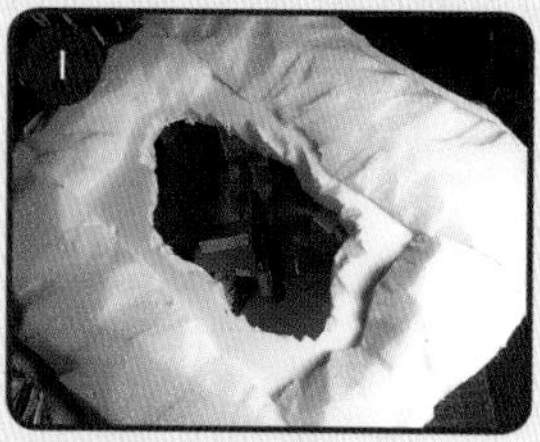

ジオラマ全体は4方向から覗き込める形に。まずはスタイロフォームで上の部分を作る。

DIYショップで売られていた小型のテーブルの脚を4方に取り付け、上に地上部分を乗せる。

コルセアはダメージ加工を加え、アクリルガッシュの白や黒、赤で塗装の剥がれを表現する。

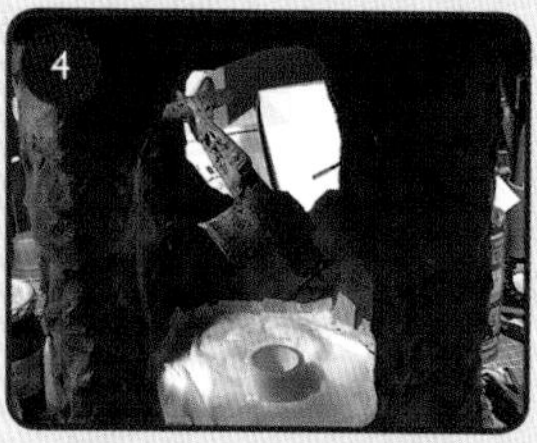

木枠の部分にダイソーで売っているソフト軽量紙粘土を盛りつけ、ベース全体の形を作る。

地上に降りるゴンドラの昇降機は、木の枝とプラ板、プラモデルのジャンクパーツで作る。

地上部分には他の作品と同じくドロドロ液と草用素材を使い、全体に苔や草を生やす。

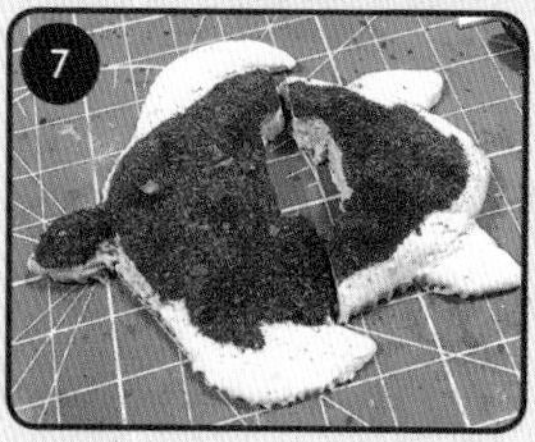

地下の中心に配置する亀の形をした島は、ダイソーの木紛粘土で形を作り草を生やす。

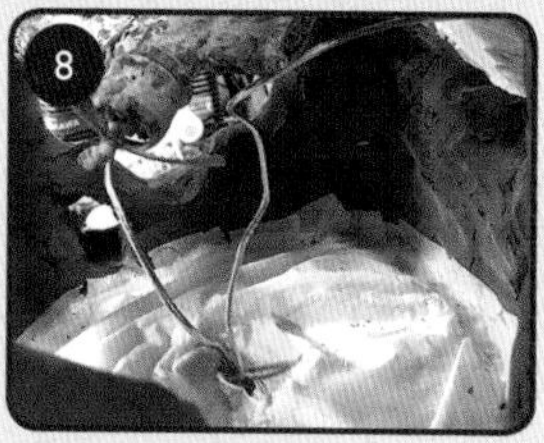

コルセアが引っかかっている神木は、まず芯の形を2㎜の真ちゅう線を使って作り出す。

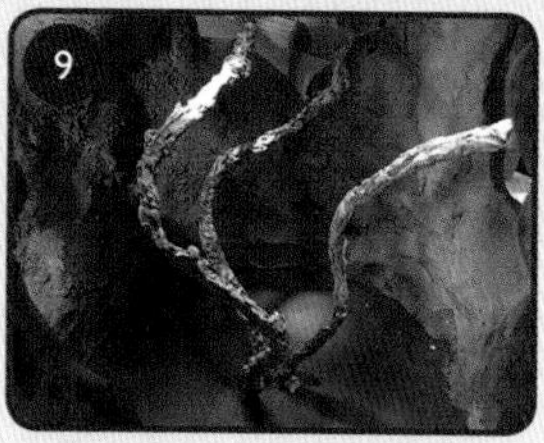

真ちゅう線で作った芯の上にエポキシパテを盛り付け、表面に樹皮のディテールを入れる。

ゴンドラは木の棒を使って作成。乗っているフィギュアは鉄道模型に使うための物だ。

小さな隠し動物はエポキシパテを使って作成し、ジオラマ内の様々な場所に配置する。

Point

飛行機の朽ち果てた段差部分は、“浮き出し法”といって、アクリルガッシュの白でベースの形を描き、そこに黒を極々水で薄めた状態で水滴を垂らすように乗せる。そうすることにより白のエッジ部分に黒が残り、平面なのに段差があるように見える。

07 Chapter

Rainbow Mushroom Trampoline

レインボーマッシュルーム・トランポリン

ボルダリングしながら陶器の断崖をよじ登り、たどり着いた頂上にはカラフルなマーブル模様のマッシュルーム・トランポリンが！

Work description

荒川氏曰く、当初この作品は単に大きなキノコの上にフィギュアを配置しようと思っていた。しかし、ある日店に並んだアイスクリームを見ているときにカラフルな作品にすることを思いつき､賑やかなジオラマとなった。

きのこの傘の部分にはマーブル技法を使用。これによって渦を巻いたようなランダムな模様を作った。さらにその下の器部分はボルダリングに。手や足をひっかけるホールドの部分にもカラフルな色が塗られ、色数の多い作品となった。各部のフィギュアたちの動きを想像できるような仕掛けが散りばめられているのも楽しい。

自然を題材にしたジオラマはともすれば地味で落ちついた色合いになりがちなだが、技法とネタを工夫すればこのように楽しい作品を作ることもできるのである。

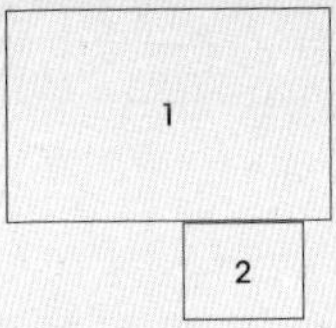

1.木の枝にくくりつけられたカラフルな紐も花を添える。横には落っこちそうなフィギュアも。

2.枝の先にはカラフルなアゲハチョウも配置。

荒川氏による「レインボーマッシュルーム・トランポリン」のチェックポイント

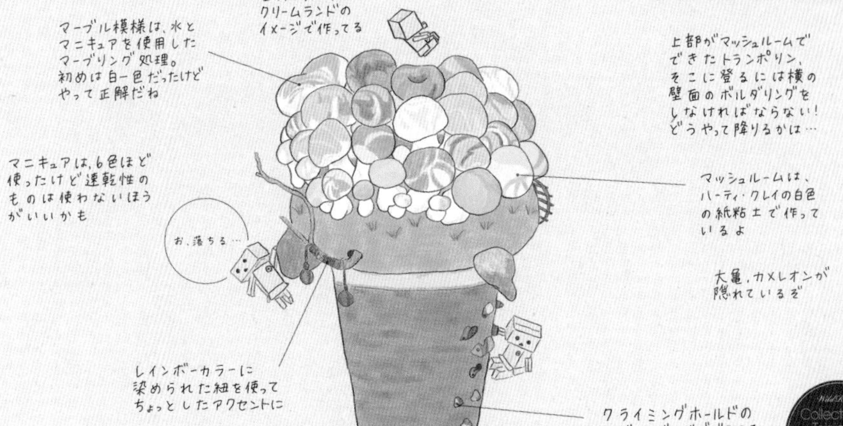

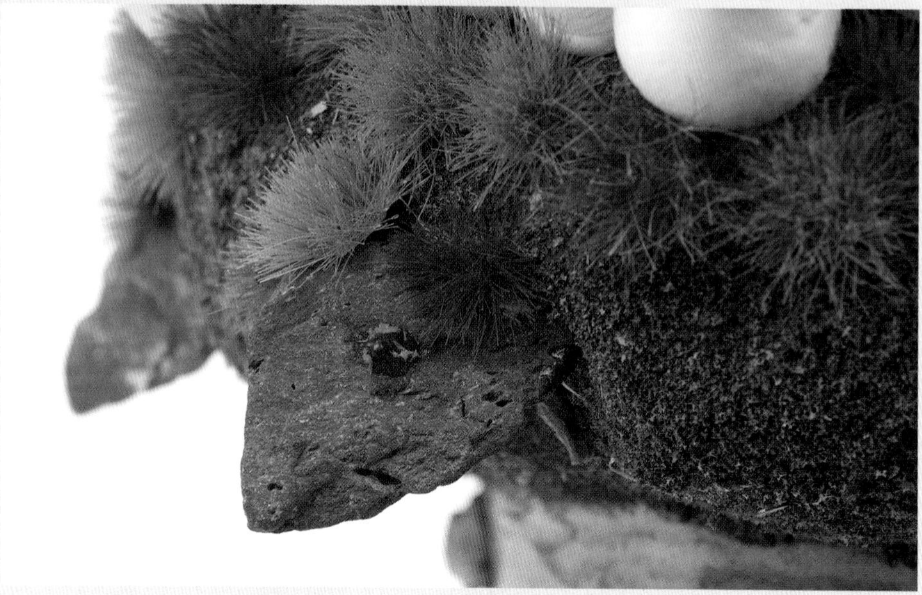

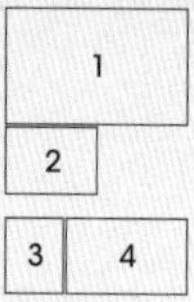

1.岩場にはなにやら亀の頭のような岩が。

2.トランポリンで弾んでいるフィギュアは、光ファイバーで空中に固定されている。

3.4.ボルダリングのホールドに設けられている突起はビーズで再現。よく見ると、ホールドに化けているカメレオンも……。

険しい登りを乗り越えたその先には
マーブル模様のマッシュルームでできたトランポリンが

高さのあるビール用タンブラーの飲み口の部分に合わせ、スタイロフォームを切り出す。

カットしたスタイロフォームを木工用ボンドで貼り、固定するためにつまようじを刺す。

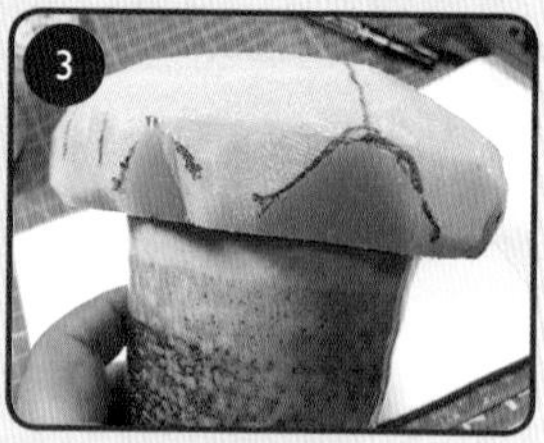

ボンドが乾いたら、スタイロフォームを地面部のドーム型になるようにカットする。

上部のスタイロフォームにソフト軽量紙粘土を塗り込むように盛りつけ、形を作る。

ドロドロ液と鉄道模型用のパウダーを使い、上部の地面部分に苔を生やしておく。

マッシュルームの軸として、つまようじに造花用の針金を巻き、瞬間接着剤で固定する。

手に水を付けて白色の紙粘土を丸め、軽く潰してから固定用のつまようじを差し込む。

軸になるつまようじをスタイロフォームに突き刺し、完全に硬化するまで充分乾燥させる。

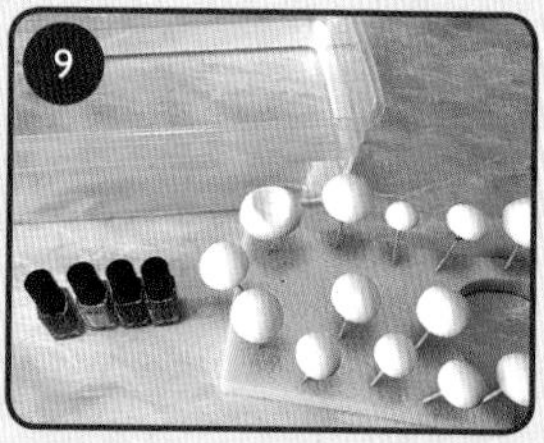

マーブル塗装のため、深めのタッパーとマニキュア、長めの串とぬるめの湯を用意する。

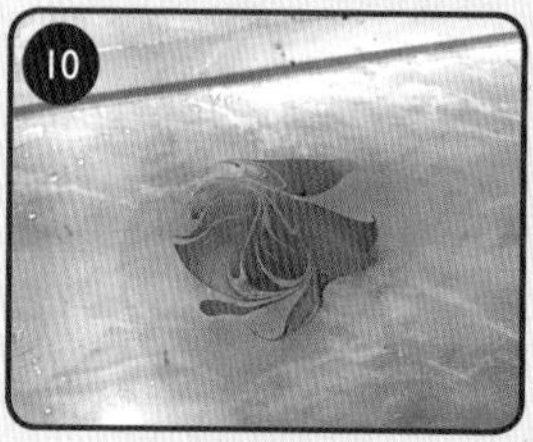

タッパーの湯にマニキュアを垂らし、色が広がったら串で切るようにマーブル模様を作る。

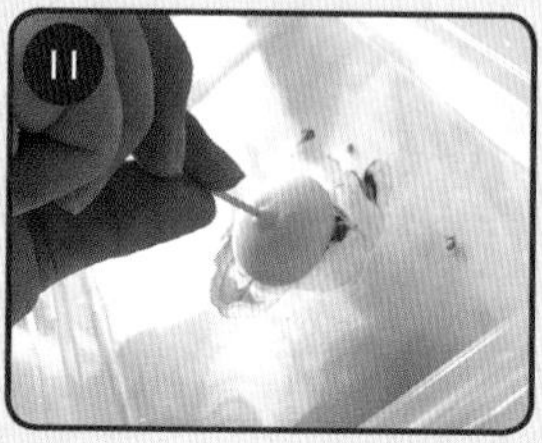

マッシュルームの軸を持って塗装に使えそうなマーブル模様の部分にゆっくりと沈める。

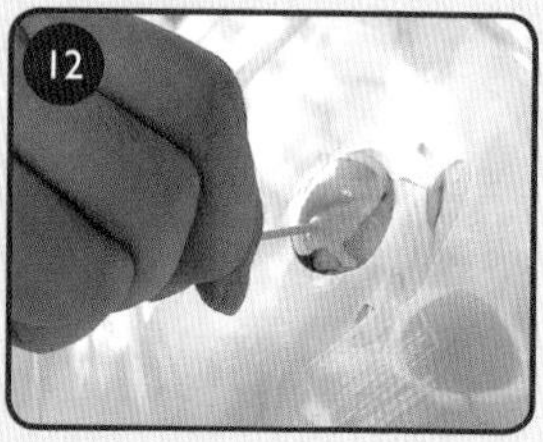

下まで沈めたら横に移動させ、マニキュアが広がっていない部分から上に引き上げる。

完成したマーブル塗装。広いタッパーでないと綺麗に引き上げられないので要注意だ。

水面から引き上げたマッシュルームは、スタイロフォームに刺してそのまま乾燥させる。

苔を生やした地面の側面部分に、亀の手足に見立てた石を5つ埋めてボンドで固定する。

マッシュルームの軸の部分は、三角錐の形にした紙粘土に傘のつまようじを刺して作る。

ボルダリングのゴールから上部のトランポリンに移動するハシゴは、造花用の針金で作る。

クライミングホールドは紙粘土で作り、ゴム系ボンドで固定。各部にビーズを埋め込んだ。

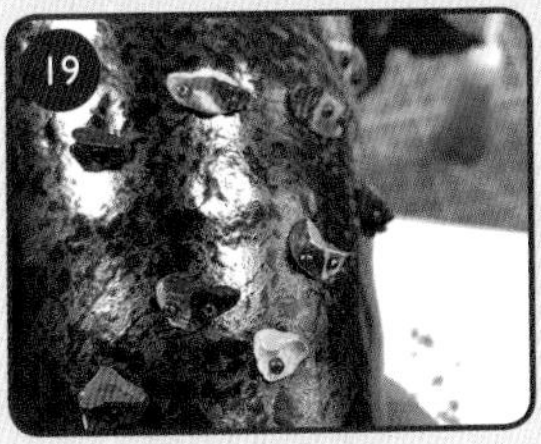

クライミングホールドはアクリルガッシュの明るめの色で塗装。油彩で汚しを入れる。

亀の頭に目を入れる。この後にマッシュルームをベースに固定し、隙間に草を植える。

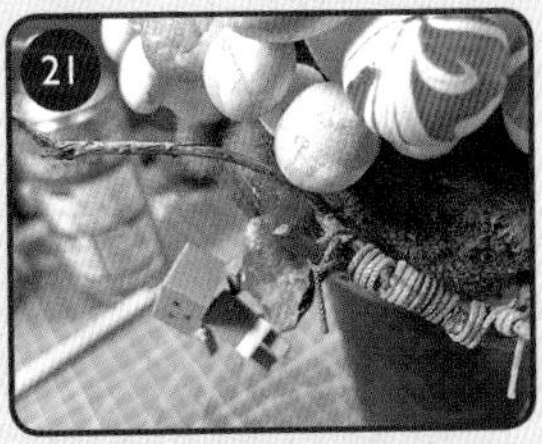

ベースの縁にはカーブしたローズマリーの枝を植え、鮮やかな紐を巻いてアクセントに。

トランポリンで跳ねるフィギュアは、0.7㎜の光ファイバーを使って空中に吊る。

Point

マーブル模様には毎回2色のマニキュアを使用。1色目は薄めの色、2色目は濃い色を使って模様を作ると見栄えが良くなる。また、模様を作る串は毎回交換する。

Chapter09　初飛行・葉っぱフライヤー号（116ページ）

Chapter09　初飛行・葉っぱフライヤー号（116ページ）

Chapter09　初飛行・葉っぱフライヤー号（116ページ）

Chapter10 ずっと、かくれんぼ(124ページ)

Chapter10　ずっと、かくれんぼ(124ページ)

Chapter11　秋の連頭崖（れんずがけ）（132ページ）

Chapter12　温泉で一献（142ページ）

Chapter12　温泉で一献（142ページ）

Chapter13　厳冬風神（150ページ）

Chapter 08

Clover bed

クローバーのベッド

クローバーが生い茂る草むらの中で、大の字に寝て空を眺める……。
のんびりとしたムードの中で、時間がゆっくりと過ぎていく

Work description

「クローバーのベッド」は、小さなヒノキ製ブロックをベースとしてまとめた、ミニマルでシンプルな作品だ。

この作品の特徴は、小さなベースを埋め尽くすように植えられたたくさんのクローバー。そのクローバーの中には四つ葉のものも紛れ込んでいたり中にはイモムシもいたりと、小さな作品ながら発見も多い。構成要素はすくないが、見所はしっかりと詰め込まれている。

この作品で荒川氏が表現したかったのが、クローバーのベッドにフィギュアが沈み込んでいる埋没感。イメージソースとなったのが、『風の谷のナウシカ』冒頭で腐海の胞子の中に埋まりそうになったナウシカだったという。ふんわりとした自然に埋もれそうになっている感じを表現するため、それ以外の要素をあえて削り落としている。

のんびりとクローバーのベッドに寝転がる……
小粒ながら、ゆったりとした空気が広がる作品

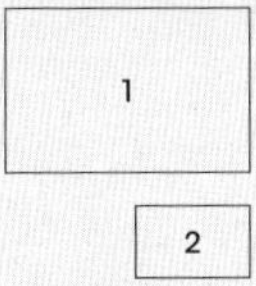

1.ベースを埋め尽くすクローバーは、ひとつひとつ葉っぱを植え付け、筆で模様を描き込んだ労作。

2.クローバー以外にも、丈の低い草が密生する。

荒川氏による「クローバーのベッド」のチェックポイント

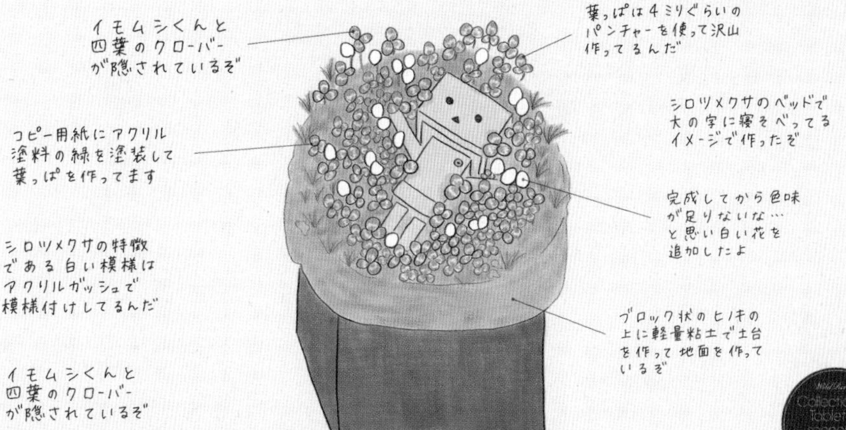

フィギュアの大きさに合わせ、ジオラマの地面部分となるスタイロフォームを切り出す。

切り出したスタイロフォームにドロドロ液を塗り、苔を生やすための下準備をしておく。

鉄道模型用のパウダーは、粉の粒の大きさによって取り皿にわけて置いておくとよい。

下地に使う茶系の枯れ葉は、100円均一で売られているポプリを粉砕したものを使う。

全体に撒いたパウダーを指で押さえ、ムラを残しながら苔が生えている感じを表現する。

苔を生やした状態。パウダーを随所に盛り上げるようにすると、苔の高さに変化が出る。

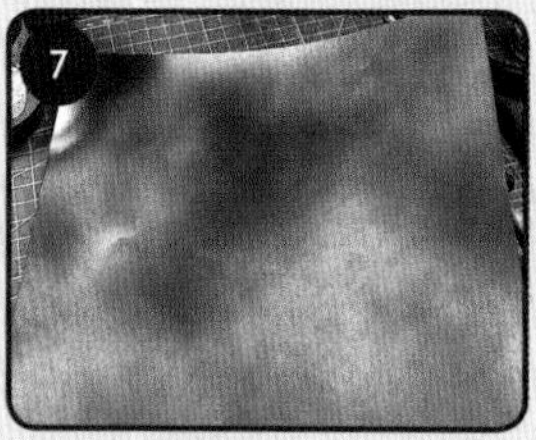

コピー用紙の表側にダークグリーンを軽く吹き付け、その上から明るいグリーンを吹く。

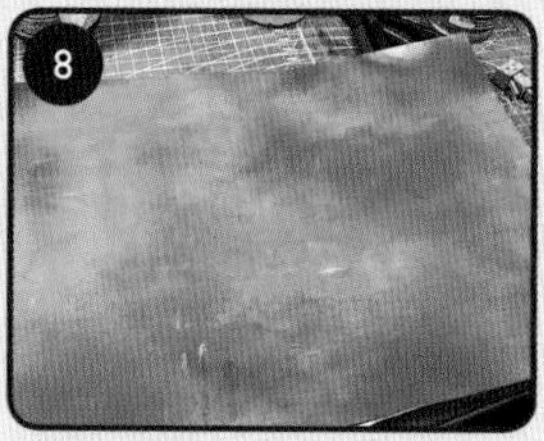

コピー用紙の裏面には、ダークグリーンをまばらに吹く。こちらが葉の裏面になる。

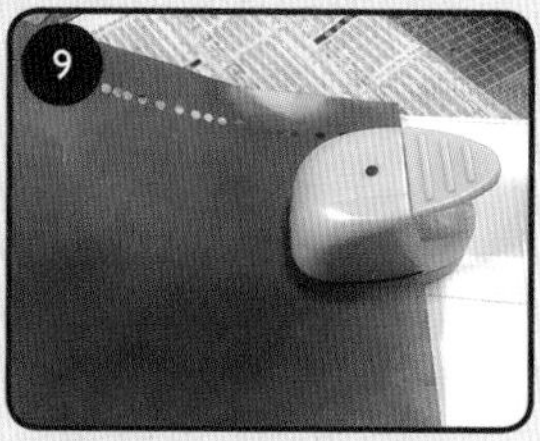

直径4㎜ほどの丸いパンチを使って、クローバーの葉をひとつずつ打ち出していく。

ビニール袋を敷いて、その上にパンチで抜いた丸い葉を裏向きにして3枚セットで並べる。

ピンセットで葉をつまみ、葉の先端に瞬間接着剤を少しつけて3枚が重なるように固定する。

クローバーの茎は造花用の針金を2㎝ほどにカットし、先端を丸く折り返して潰しておく。

作った葉を全て裏返し、茎の先端に木工用ボンドを少しつけてから葉の中心に固定する。

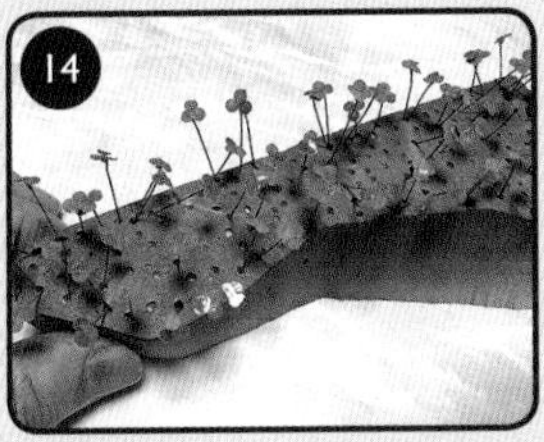

葉を取り付けたクローバーは、スタイロフォームにそのまま突き刺して完全に硬化させる。

乾燥後、水性のツヤ消しクリアーを吹付け、さらに乾燥後に半ツヤ消しのクリアーも吹く。

ベースの中心にフィギュアを配置し、バランスを見ながら周囲にクローバーを固定する。

ベースにクローバーを固定した後、葉の白い模様をひとつづつ筆で描きこんでいく。

クローバー以外の草はグリーンラインから市販されている素材を適宜使用した。

花の部分は、ジオラマ用に販売されている小さなプリザーブドフラワーをボンドで付ける。

プリザーブドフラワーを固定した状態。白い色がジオラマのアクセントになっている。

ジオラマ内に配置する隠し動物の小さなイモムシは、エポキシパテを使って作った。

隠し動物のイモムシ、さらに隠し要素として四葉のクローバーも配置して、完成。

Point

クローバーの葉の白い模様はアクリルガッシュの白を先の荒れた筆につけ、葉の中心から円を描くように叩き付けながらかすれた模様を付けるとうまくいく。

Chapter 09

First flight: Happa Flyer

初飛行・葉っぱフライヤー号

木の葉で作った人力飛行機「葉っぱフライヤー号」の初飛行。記録用カメラを従え、長い木の枝の滑走路から一気に飛び立つ！

Work description

「葉っぱで作った飛行機」というのは、荒川氏にとって初めて挑んだテーマではない。以前にこれとほぼ同じシチュエーションの作品を作っているのだ。「初飛行・葉っぱフライヤー号」は、そのテーマを発展させたものである。

葉っぱフライヤー号の元ネタになっているのが、人類初の動力飛行機、ライトフライヤー号だ。後年の飛行機より見た目が葉っぱっぽいため、モデルとしてこちらの機体を選択。また、映画用のフィルムカメラを自作してもう1体のフィギュアに覗かせている。

ジオラマとしては大きくベースからはみ出した棒状のカタパルトが特徴で、その上に葉っぱフライヤー号を置くことでバランスを取っている。葉っぱの複葉機というアイデアを、最大限生かしたレイアウトである。

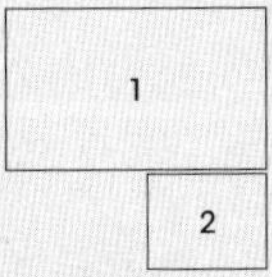

1.実物のライトフライヤー同様、主翼の間に張られた張り線まで取り付けられている葉っぱフライヤー号。前後の翼の配置なども、実物と同じになっている。

2.ちょっと昔のフィルム式カメラをイメージした撮影機材は、プラモデルのジャンクパーツを組み合わせて製作。三脚も大型カメラ用のものを意識した形だ。

荒川氏による「初飛行・葉っぱフライヤー号」のチェックポイント

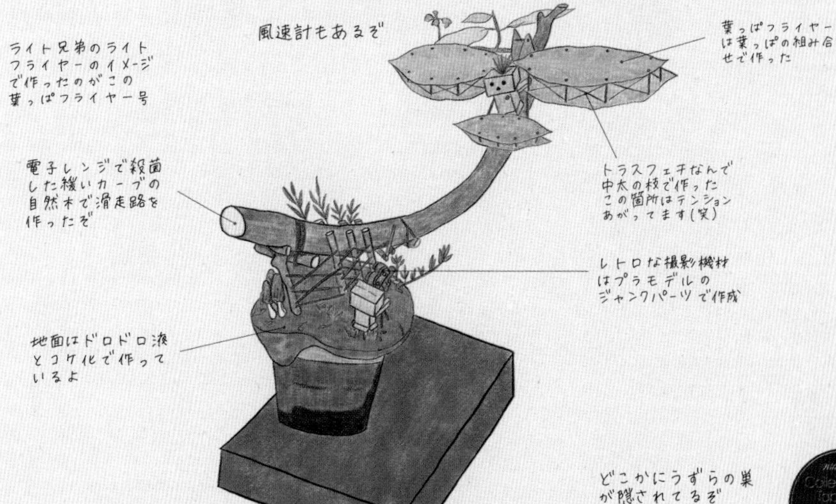

葉っぱフライヤー号、ついに初飛行へ！
カメラは歴史的瞬間を見逃さない

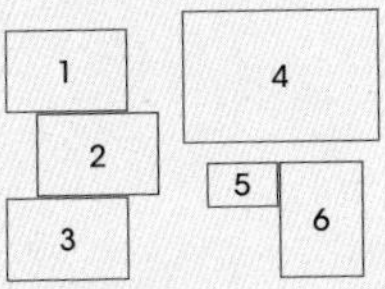

1.2.3.他の作品でもおなじみのキノコたち。全体的に褐色ばかりになりがちなジオラマの中に、彩りを添えてくれている。

4.大きく目を引く滑走路は、自然木を使ったもの。下にはトラス状の支えが。

5.滑走路から伸びた枝には、風向きを見るための風見鶏が取り付けられている。

6.隠し動物は、草の中の巣にあるうずらの卵。

葉っぱフライヤー号の材料となる木の葉は、あらかじめプリザーブド処理したものを使用。

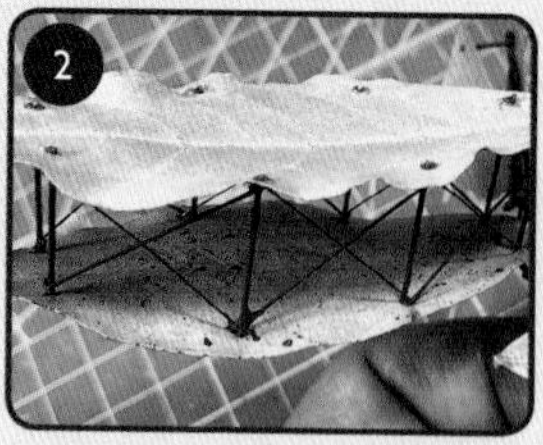

主翼の間に張られた張り線として、造花用の0.5㎜の針金をクロスするように固定する。

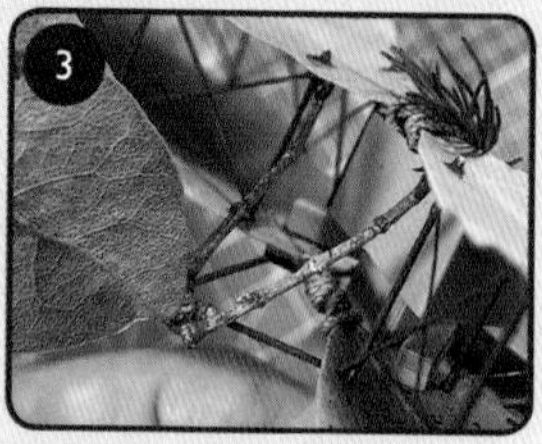

尾翼部分の支えとして、こちらには乾燥させた小枝をカットしたものを取り付ける。

パイロットとなるフィギュアは、主翼中央にある接続部分にはめ込むようにして固定する。

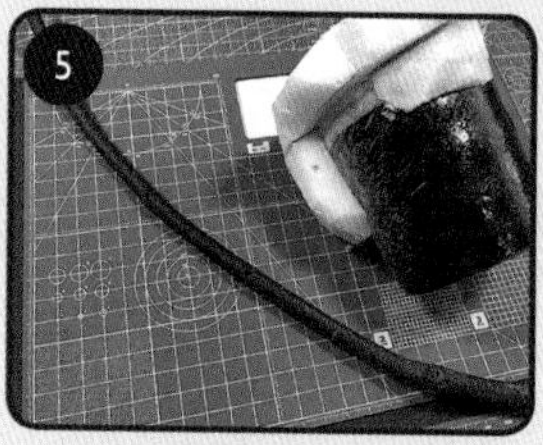

滑走路となる木の枝は、緩いカーブの自然木を使用。電子レンジで加熱殺菌する。

滑走路には穴を開け、造花用の1㎜の針金をつける。土台はビール用の陶製タンブラーだ。

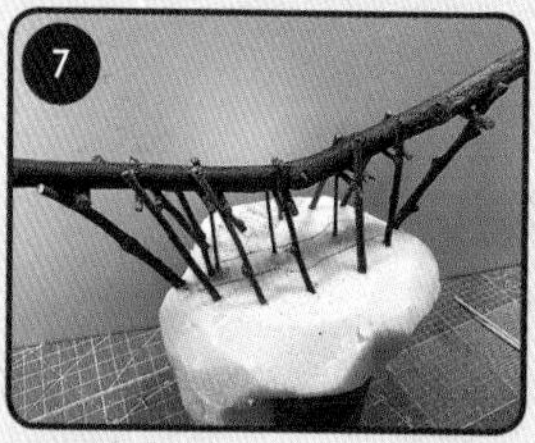

滑走路をスタイロフォームの台座に浮いた状態で固定し、枝でトラス状のフレームを作る。

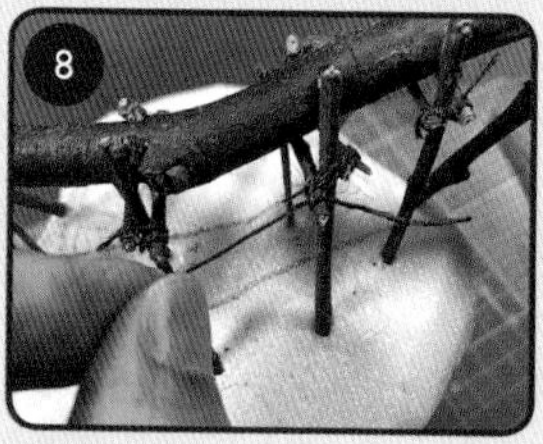

フレームの接合部は木工用ボンドで固定し、その上に麻ひもをほぐしたものを巻き付ける。

各接合部を充分乾燥させ、全体に麻ひもを巻き付けたらメインとなるフレームが完成。

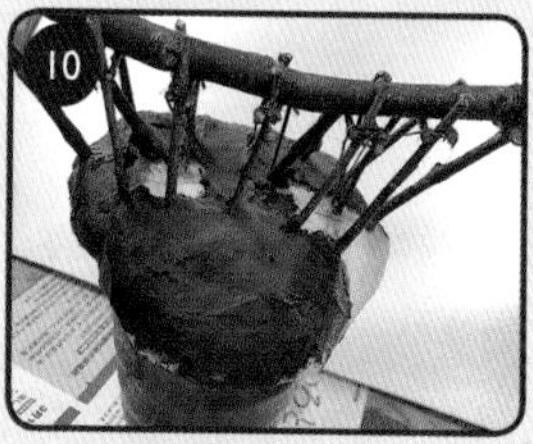

スタイロフォームにソフト軽量紙粘土を擦り込むように盛りつけ、地面部を作成する。

後から手が入らなくなる滑走路の下の部分に、ドロドロ液と草用素材で苔を生やしておく。

プリザーブド処理した木の葉をパンチで打ち抜いて小さい葉を作り、それで風速計を作成。

トラス状のメインフレームにクロスするように細い枝をいくつも取り付け、より複雑な形に。

トラス部分が完成。しっかり固定できたところで、周囲の地面にも苔を生やしていく。

紙粘土がむき出しだった地面部分にドロドロ液を塗り、苔を生やすための下準備を施す。

鉄道模型用の素材などを用い、ベースの残りの箇所に全て苔を生やし終わった状態。

丈の高い草を再現するため、鉄道模型用の素材やプリザーブド処理した植物を配置する。

脇に添えるカメラは、プラモデルのパーツなどを流用、適宜組み合わせて形を作った。

完成したカメラにサーフェイサーを吹き付け。フィギュアと並べてバランスを見る。

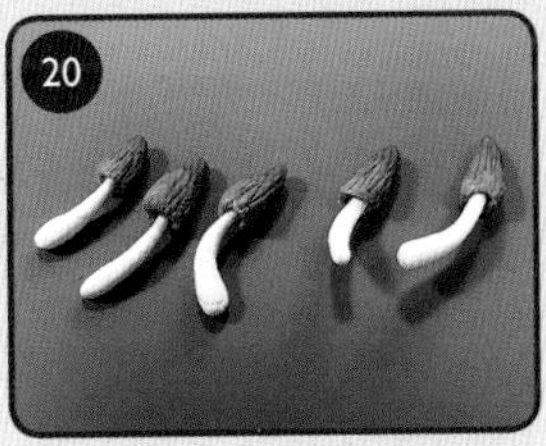

ジオラマ全体に彩りを添えるワンポイントとして、赤いキノコを作成し各部に植えた。

ジオラマ作成中に出た木材の削りカスを組み合わせて、隠し動物のうずらの巣を作る。

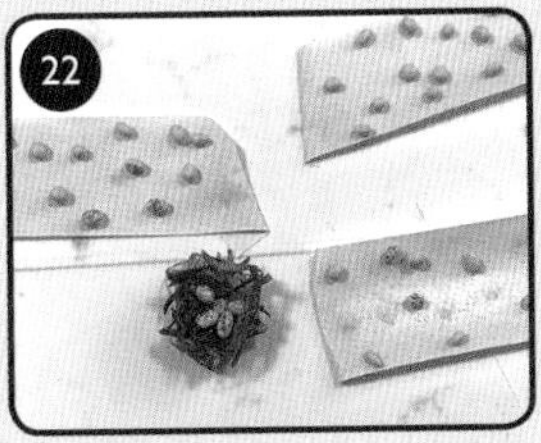

うずらの巣の内部にはエポキシパテを使って作った卵を置き、ジオラマ内に配置して完成。

Point

「GreenStuffWorld」のパンチャーで、プリザーブド処理した木の葉をパンチした。小さな木の葉型の型抜きが入っているので、簡単に木の葉を作る事ができる。

Chapter 10

Zutto Kakurenbo

ずっと、かくれんぼ

森の中でかくれんぼで遊んでいた2人。だけど、鬼の方はなにやら他に気を取られてしまったようで……。

Work description

陶器のベースに、大きな自然木。さらにその周囲には背の低い草やきのこたち……。とてもベーシックで、基本形的な作品がこの「ずっと、かくれんぼ」だ。

森の中でかくれんぼをしていた2体のフィギュアがこの作品の題材。鬼になった方は、途中からは森の中の蝶に気を取られてしまい、いつしかほかの遊びに夢中に。隠れていた方は待ちぼうけ……というストーリーだ。

シンプルな作品ではあるものの、随所に散りばめられた遊び心溢れる要素が満載。鬼が跨っているおおきな木の先端には馬の顔が落書きされている。跨ってジョッキーごっこで遊んでいる……という演出になっているのだ。さらに周囲に生い茂った草木の並び方も自然。単純な構成ながら、荒川作品の深みが感じられる。

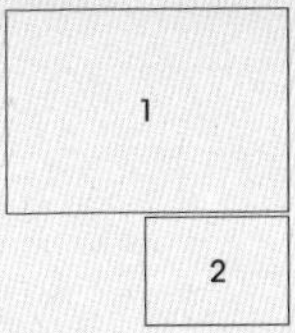

1.ジオラマの中には草地の中に隠れたフィギュアが。丈が高い草はプリザーブドフラワーだ。

2.大きな丸太の頭を馬の顔に見立てている。

荒川氏による「ずっと、かくれんぼ」のチェックポイント

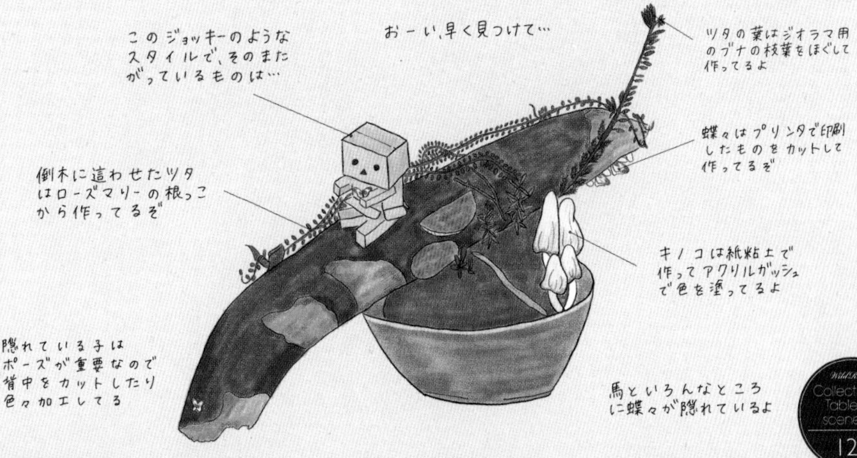

大きな自然木を大胆に使って演出する
蝶たちが見守る、森の中の小さなかくれんぼ

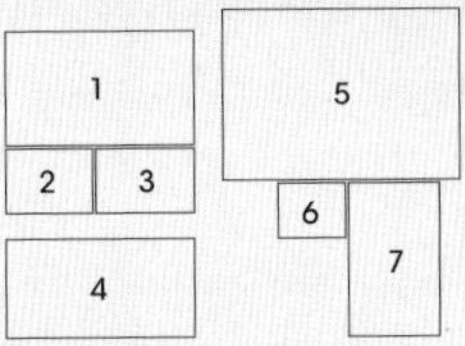

1.横倒しになった丸太の側面には、みっしりと生えたツタが取り付けられている。

2.3.倒木の先端や裏面など、ジオラマの中にはたくさんの蝶が羽を休めている。

4.隠れている面の裏側には、群生するキノコが。

5.周囲の多様な植物と相まって、倒木の樹皮は非常にリアル。これは自然木ならではの利点だ。

6.ジョッキーごっこをしているフィギュアの手には、これまた蝶が止まっている。

7.ベース表面の苔も、森の中ということでより密集した生え方になっている。

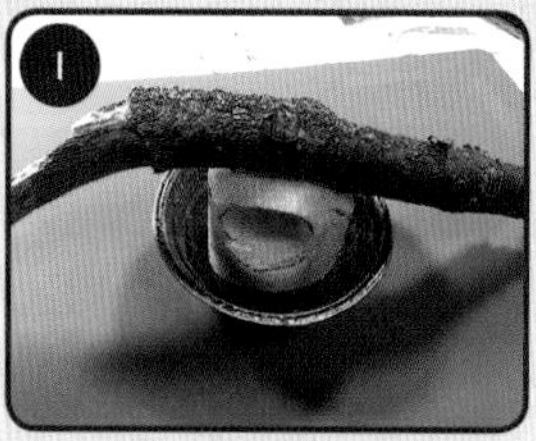

倒木は近くで拾ってきたもの。ベースに置いてスタイロフォームの形を調整する。

陶器の形に合わせてスタイロフォームをカット。フィギュアが隠れられる穴をあける。

ソフト軽量紙粘土を擦り込むように盛り、自分のイメージに近い形のベースを作る。

ドロドロ液と草用の素材を使い、森の中で有る事を意識しながらベースに苔を生やす。

苔を生やした部分に、さらに目が粗いパウダーを使って随所に盛り上げるように乗せる。

目の粗いパウダーを盛り上げた状態。こうすることで苔の生え方に変化を付けられる

倒木に固定用の針金を付ける。台座にしっかり固定するため、針金は長めに切り出しておく。

苔を生やしたベースに針金を差し込む穴を開け、木工用ボンドを塗って倒木を貼り付ける。

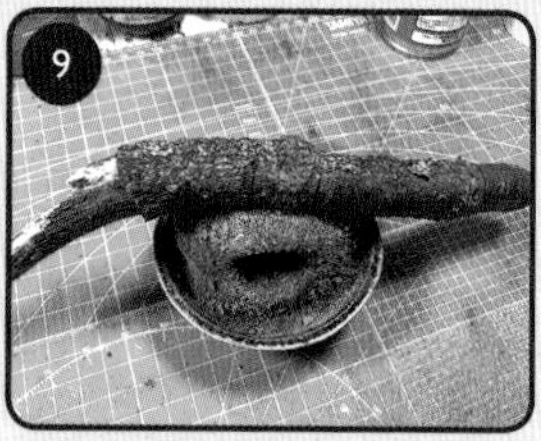

倒木を固定して、台座の外形が完成。この上から各種素材を用いて植物を生やしていく。

隠れているフィギュアは背中側を大きくカットし、寝そべっても顔が正面を向くよう調整。

あらかじめ作ってあったベースの穴に、ポーズを調整しながらフィギュアを接着する。

丈の高い草として、ジョーフィックス製のフェイクグラスを木工用ボンドで植える。

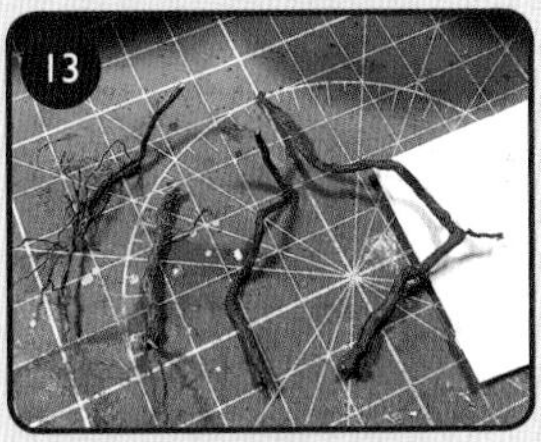

倒木にツタを這わせるため、ローズマリーの根を組み合わせて瞬間接着剤でつなぐ。

つなぎ合わせた根から形が合うものをボンドで接着して、ツタが這っているように見せる。

ローズマリーの根をつないで固定する時は、瞬間接着剤の硬化スプレーを併用すると便利。

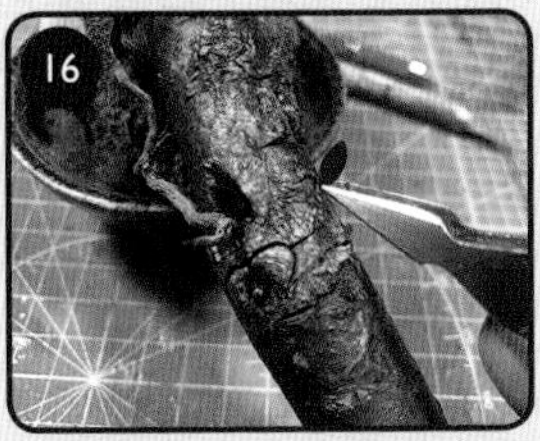

倒木の先が馬の頭に見えたので、鉛玉で目を、葉っぱを使って耳を作って取り付ける。

ツタの葉は、ブナの枝葉をほぐして作ったもの。先に固定したツタの枝に沿って接着する。

多様な植物はジョーフィックス製のフェイクグラスを植えて、木工用ボンドで固定する。

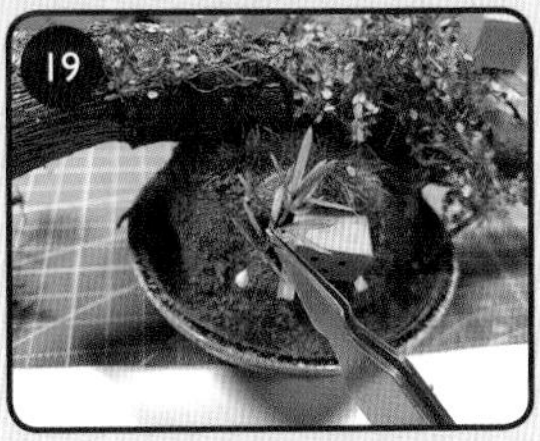

フィギュアが隠れている部分には、自宅の植物をプリザーブド処理したものを植える。

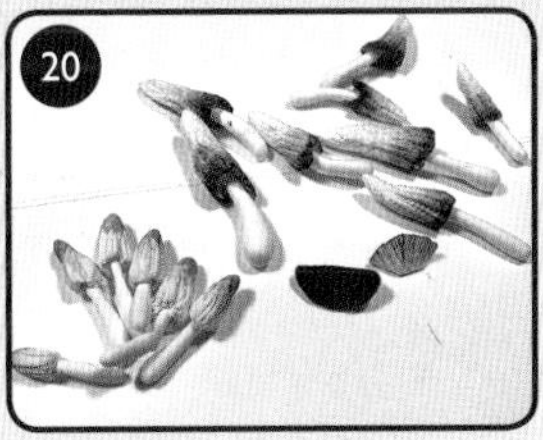

ジオラマの彩りになるキノコは、様々な色の物を用意。バランスを見ながら取り付ける。

チョウはパソコンでデータを作成。プリンターで印刷したものを切り出して作った。

倒木の裏には紙製のチョウを多数取り付け、日陰に群生する様子を表現して完成。

Point

チョウの両面の位置を合わせて印刷するのは難しいため、紙の裏面にはあらかじめ黄色やグレーを塗っておき、片面のみの印刷でも目立たないように処理しておく。

Chapter 11

Autumn cliff

秋の連頭崖(れんずがけ)

それぞれが動物の頭になった、ちょっと不思議な形の崖。
その間を、「ヒーロー」が飛び回る。

Work description

3つのぐいのみの上に浮かんだ、不思議な形の浮島のような崖。その崖の間を、何者かがぴょんぴょんと飛び回っている……。なんだか不思議な雰囲気のこの作品からは、秋の空気が感じられる。

普通に紅葉のジオラマを作ったのでは面白くない。というわけで、紅葉しない針葉樹のまっすぐな幹に、広葉樹の赤色や黄色などの鮮やかな紅葉を組み合わせて不思議な崖の風景を作り上げたのである。

「縦に長い」という、陶器とジオラマの組み合わせとしてはアンバランスな構成と、ファンタジックな雰囲気が目を引く作品なのである。

1 2 3 4

1 まっすぐに立ったハリハリの木。幹には先端に向けて削り込んだ竹ひごを使っている。

2 3 スタイロフォームと紙粘土を使って作った崖島。よく見ると動物の顔になっているというギミックが仕込まれている。

4 崖から崖へ飛び回っているという設定。

荒川氏による「秋の連頭崖」のチェックポイント

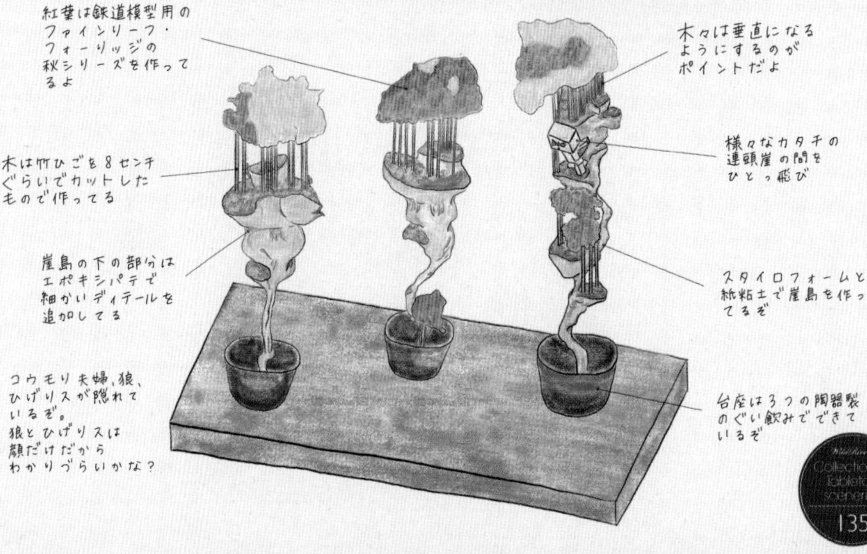

秋深まる連頭崖の紅葉の中を
黒いマークのスーパーヒーローが飛び回る

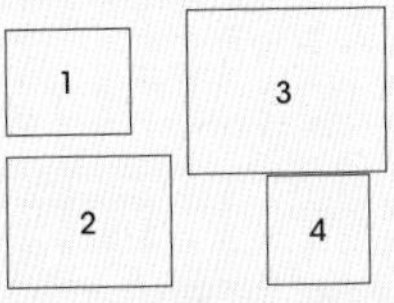

1.土台のぐいのみの中にも土が盛られ、崖から落ちた落ち葉などが散りばめられている。

2.地面に撒かれた枯葉の材料はポプリを砕いたもの。苔類の再現と同様に、ドロドロ液の上に押し付けて固定し、地面とのグラデーションをつけている。

3.崖はスタイロフォームとエポキシパテ、紙粘土を組み合わせて製作。ムラをつけながら塗装して本物のような質感に。

4.崖の裏には隠し動物としてコウモリの夫婦が配置されている。

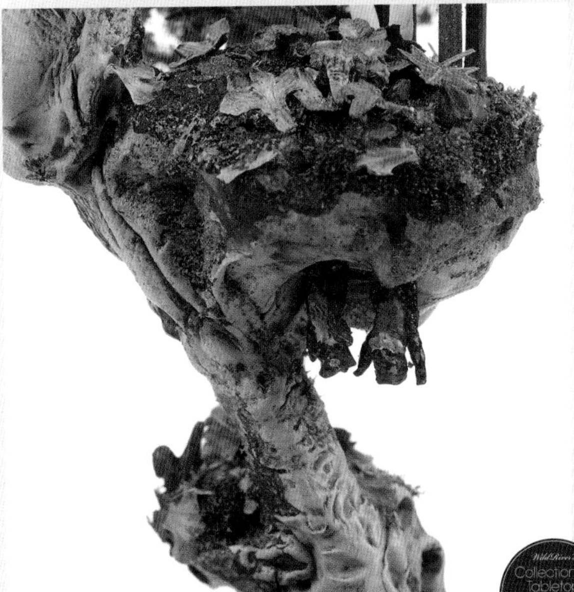

崖島を固定するベースとして、3つのぐい飲みを用意。底に5㎜ほどの穴を開けておく。

崖を固定する軸として2㎜の真ちゅう線を折り曲げ、陶器の裏で曲げでしっかり接着する。

固定した真ちゅう線の周りに細い針金を巻き付けていき、パテを盛りやすくしておく。

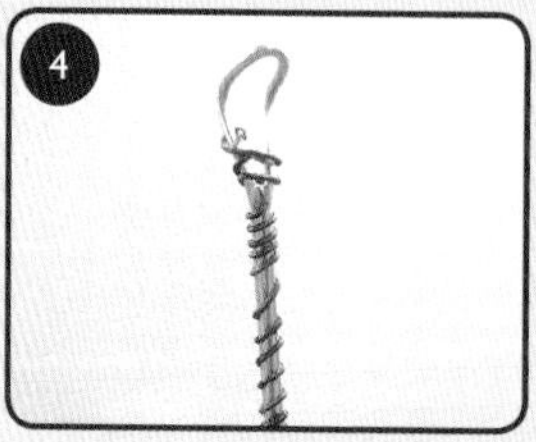

針金を巻き付けた状態の軸。まっすぐなままではなく、各部を曲げて崖っぽい形にする。

スタイロフォームのブロックを切り出し、穴を開けて固定軸の真ちゅう線にボンドで固定。

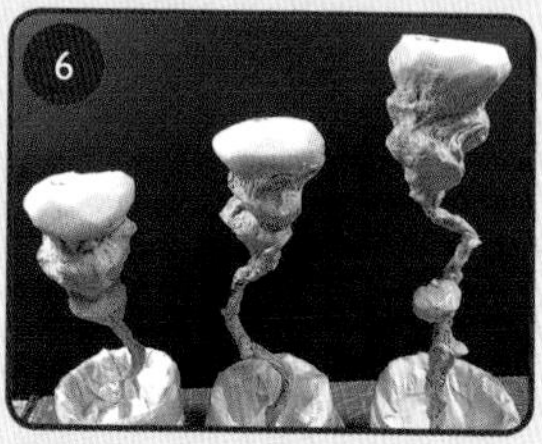

固定軸とスタイロフォームの下部分にエポキシパテを盛っていき、崖っぽい質感をつける。

崖島の上、スタイロフォームが出ていた部分にソフト軽量紙粘土を盛りつけて陸地を作る。

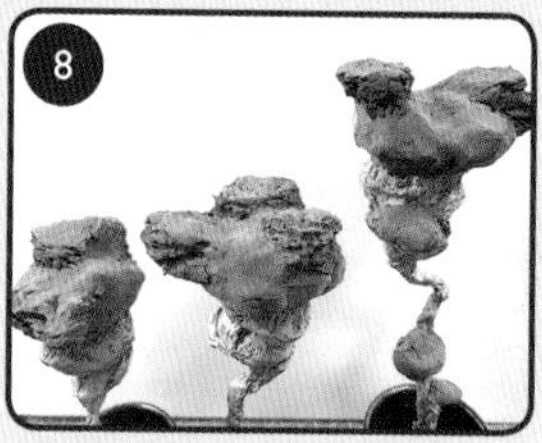

崖島の下から上にかけてライトグレーのサーフェイサーを塗り、岩肌を表現する。

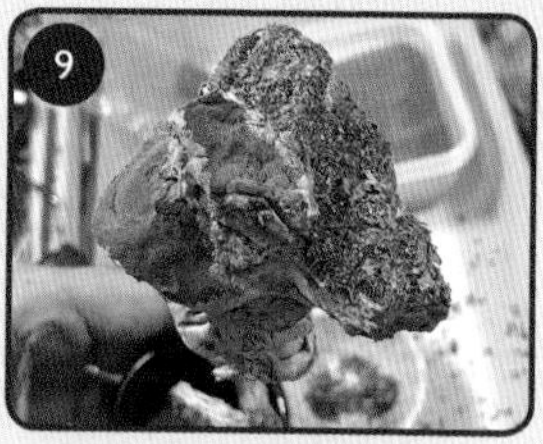

ドロドロ液を地面部分に塗り、ポプリを砕いたものとグリーンのパウダーを交互に撒く。

ポプリなどを撒いた後に表面を指で押さえ、ドロドロ液の色をにじませるようにする。

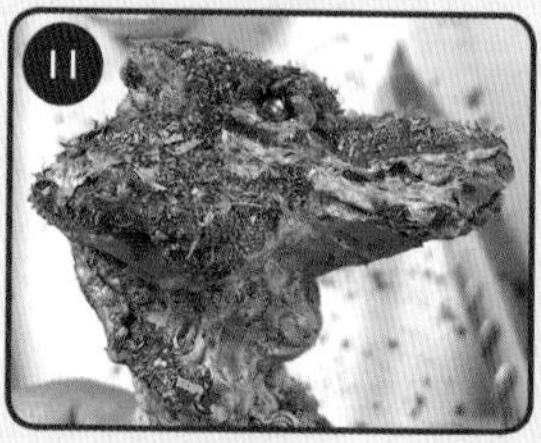

崖島の岩肌の部分を、油彩の茶色やオレンジ色、グリーン系の色を重ねて塗っていく。

ハリハリの木は竹ひごを8㎝ほどにカットし、中央から先端にかけてカッターで削って作る。

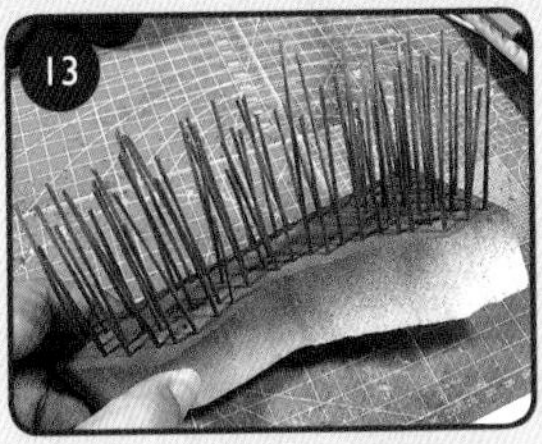

スタイロフォームに削った竹ひごを突き刺し、全体にグレーのサーフェイサーを吹く。

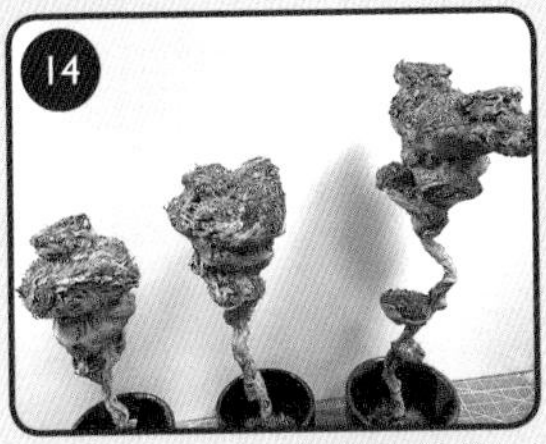

グレーの下地が残るように茶系の缶スプレーを吹いて、表面にグラデーションをかける。

塗装したハリハリの木を崖島にボンドで固定する。なるべく垂直になるように注意する。

ハリハリの木に、鉄道模型用の草用素材(色は秋用のもの) を貼って紅葉を表現する。

草用素材は一度固まりをバラバラにし、ハリハリの木に突き刺すようにして固定する。

地面部分に撒く枯れ葉は、ジオラマ用に販売されている天然素材を使ったものを用意。

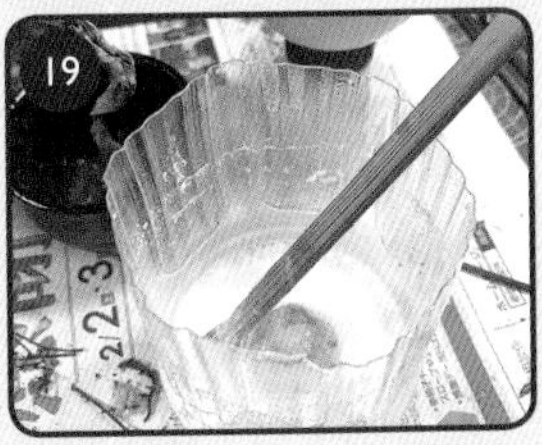

枯れ葉の固定には、水で溶いた木工用ボンドを使用。地面にスポイトで垂らして固定する。

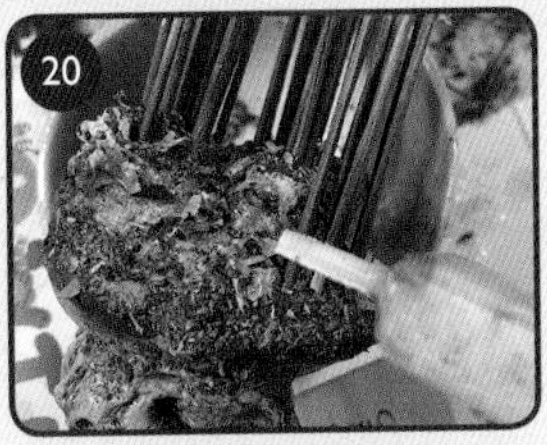

地面に枯れ葉を撒き終わったら、各部にワンポイントとなる小さめのキノコを配置する。

コウモリの衣装をまとったフィギュアは、連なる崖島を飛んで渡るイメージで制作。

作品中に配置するコウモリの夫婦はエポキシパテで作成している。

Point

崖島の岩肌を作る際には、表面に盛った紙粘土にバークチップ(園芸用などに使われる木製のチップ) を押しつけると、簡単に岩っぽい質感を出す事ができる。

陶器の穴開けはちょっとしたコツがいる

まるで地面が浮いているようだったりと、不安定なジオラマを安定させるために必須のテクニックなのが、「器に穴を開ける」という技術。陶器に綺麗に穴を開ける方法を伝授する。

細い支柱をベースに固定するためには、器を貫通させて裏から固めるのが一番手っ取り早い。モーターツールと水、砂を使えば、陶器を割ってしまうことなく綺麗に穴を開けることができるのだ。

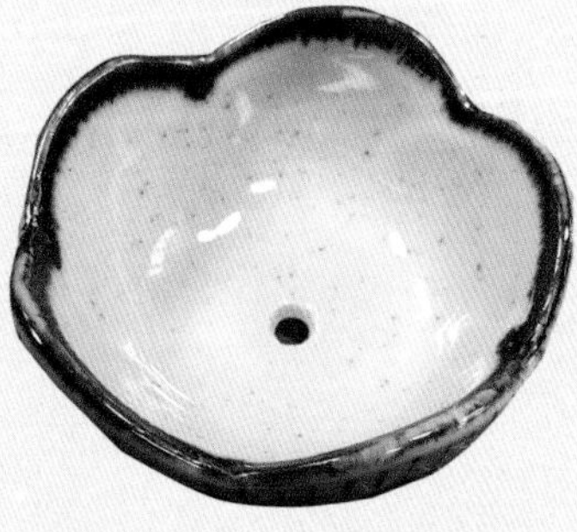

陶器の穴あけの仕方

① 作業前には必ずゴーグルを付ける。陶器穴開け用のドリルビットが欠けて飛ぶ事があるので、目の保護は厳重に!

② ハンドドリルで陶器の表面にきっかけとなる小さな彫り込みをつける。

③ 水を穴の位置に垂らし、ドリルピットを付けた電動ドリルを彫り込みに押し付けるように穴を開け始める。

④ ある程度穴が開いたら、水と砂を穴に入れてさらに削る。ドリルは一定の角度で固定せず、円を描くように動かすとよい。

ボンド クイック5

80g ￥1000(税別)

2種混合のエポキシボンド。浮いた島などの支柱にした金属線を陶器に貫通させ、しっかり接着する時に使う。

ボンド GPクリヤー

170ml ￥900(税別)

陶器とスタイロフォームを接着する時に使用する。

Point

ドリルビットは、必ず、陶器、タイル専用のものを使うこと。ドリルビットの先端はとにかく欠けやすいので、使う時には目や顔を保護するのを忘れないように!

Chapter 12

Dedicated at the hot spring

温泉で一献

温泉につかりながら日本酒を飲む……。ほっこりするような風景に、大胆に湾曲したローズマリーの枝振りと2匹の動物を添えて

Work description

この作品でベースに使われたのは陶器ではなく、木製の升。「温泉で一献」というタイトル通り、温泉で日本酒を飲む……という題材に絡めたチョイスである。

このチョイスからもわかるように、この作品の見所はジオラマ全体の構図の面白さだ。大きく横に伸びるのは、荒川氏が選んだローズマリーの枝と草の根を組み合わせた、曲がった枝ぶりの樹木。この枝に適度に葉を茂らせ、ベース側とのバランスを取っている。

主役であるフィギュアは、温泉に浸かりながら日本酒を飲んでいるポージングに。赤く染まった頬がなんともかわいらしい。また、頭や升の縁には枯葉を散らすという演出も目を引く。大胆なレイアウトだけではなく、細かいところにまで気遣いが行き届いた作品だ。

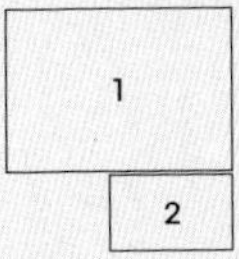

1.こんもりと茂った樹木は、升の上に差し渡した園芸用のバークチップの上に固定。

2.草には他の作品と同様にプリザーブドフラワーなどを混合して使用している。

荒川氏による「温泉で一献」のチェックポイント

冬が近づく中、暖かい温泉に浸かる……
升の縁でお酒を傾ければ、顔も桜色に

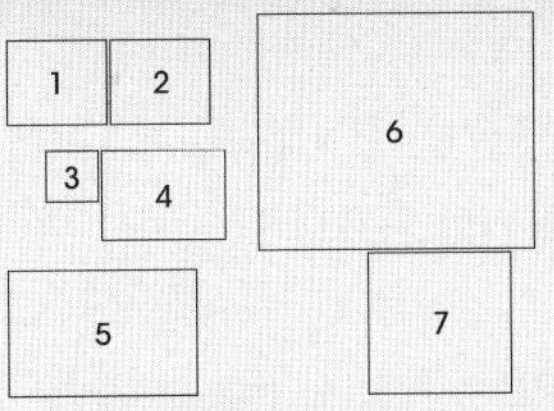

1.2.大きく伸びた枝は、ローズマリーの根や枝を接ぎ木して作る。

3.枝の先には、キリンの頭に見立てたパーツが付けられている。

4.日本酒を飲んでいるということで、頬を赤く塗装している。

5.鮮やかな黄色とオレンジで塗装されたキノコが色調のポイント。

6.上から全体を見ると、各部にいろいろな植物が植えられた賑やかなジオラマであることがわかる。

7.全体を引いて見ると、ベースから大きくはみ出させた枝が目を引く。

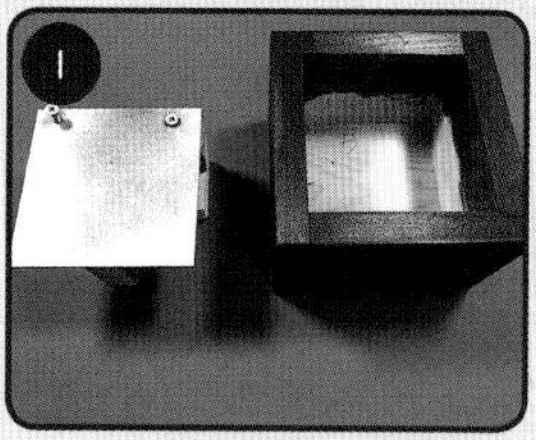

白木の枡をオイルステインで塗り、白を軽くスプレーした塩ビ板をカットしておく。

塩ビ板が枡の口よりも下になるよう高さを調整し、木片を塩ビ板の下に付けてネジで固定。

岩は園芸用のバークチップから形がいい物を選び、草を生やす部分に紙粘土を盛る。

岩の表面の紙粘土を盛った部分に、ドロドロ液と鉄道模型の草用パウダーで苔を生やす。

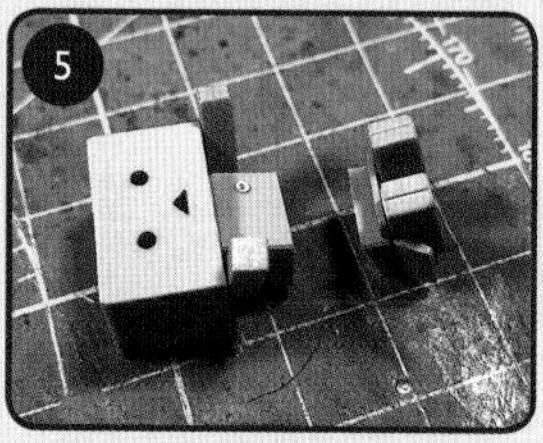

体の下半分が温泉に入っている状態にするため、フィギュアは腰の位置で切断しておく。

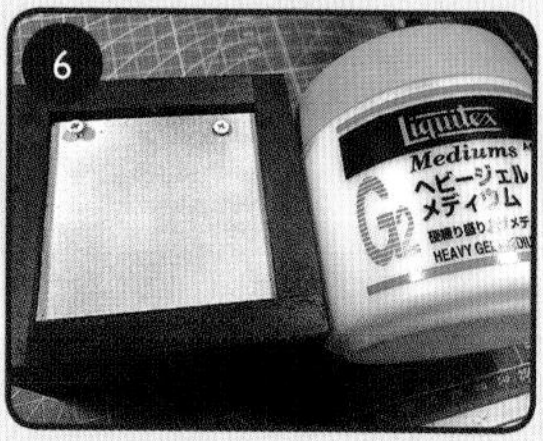

温泉の水面部分となる塩ビ板を、先に付けておいた木片で枡に取り付け、ボンドで接着する。

アクリルガッシュのヘビージェルメディウムを、塩ビ版の表面に筆で叩くように塗る。

岩場に生えている古株の木を表現するため、ローズマリーの根から形がいいものを選ぶ。

ローズマリーの根をカット、また不足部分には枝を付け足して、イメージ通りの形にする。

大きくうねるような枝の部分は、別のローズマリーの木からカットしてきたものだ。

一部の根は地面の中に張った状態になるよう、岩場の表面に這うように接着していく。

およその枝振りができてきた所で、枡の上に置いて全体のバランスをチェックする。

この作品の隠し動物キリンの頭。鉛玉で目をつけローズマリーの枝の先端に取り付ける。

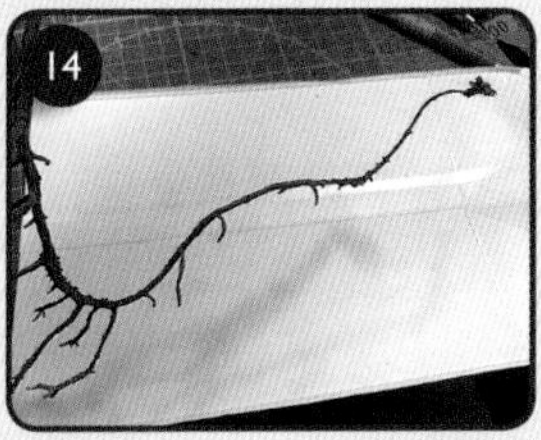

頭を取り付けた状態。 長い枝は首に見立てジオラマのベースからはみ出させて配置する。

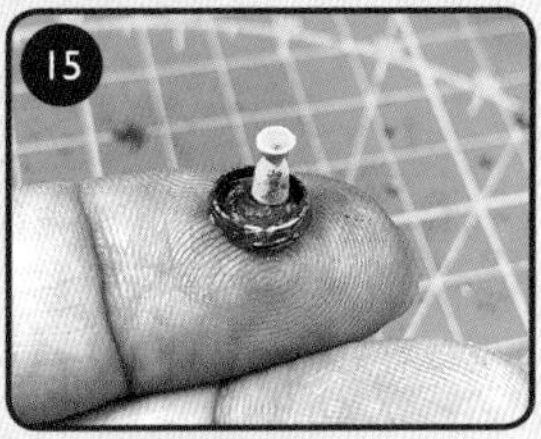

フィギュアに添えるおちょこと徳利。円柱のプラ棒から削り出し、形を整えて制作。

ファインリーフフォーリッジ(鉄道模型などで樹木を作る素材)で枝に葉を生やしていく。

ローズマリーの枝についている枯れ葉は瞬間接着剤で固定し、緑色を塗っておく。

岩の表面の草はフェイクグラスと、自宅でプリザーブド処理した植物を使って再現する。

自宅でプリザーブド処理した草を生やしているところ。単調にならないように注意する。

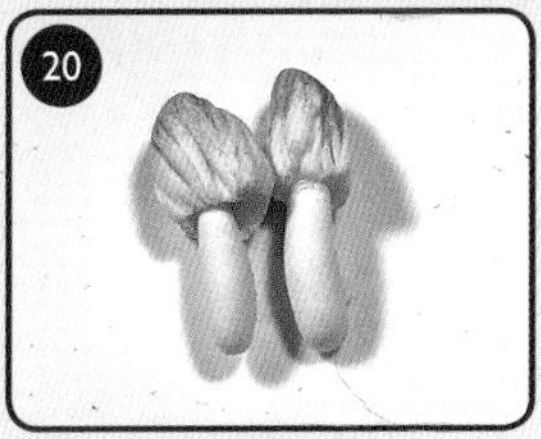

キノコは紙粘土で作ったもの。ワンポイントなるよう、明るめのアクリル塗料で塗装する。

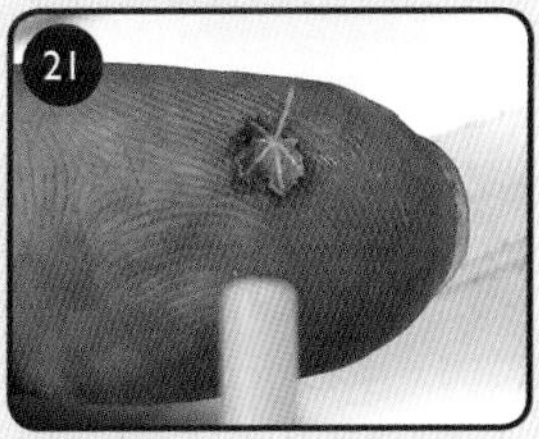

湯船や地面に落ちている落ち葉は、市販のメイプルリーフを丸めたものを使っている。

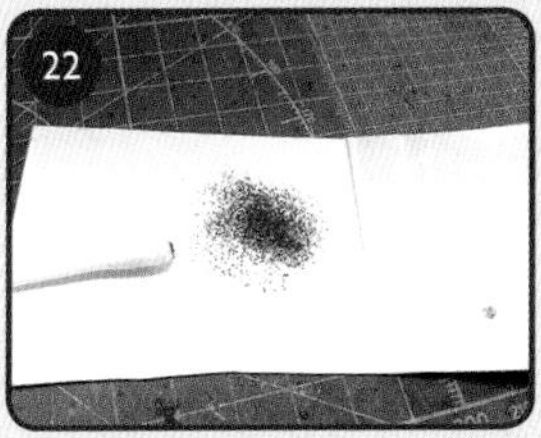

フィギュアの頬は、赤系のパステルを茶こしで細かくしたものを綿棒でこすりつけて表現。

Point

フィギュアの頬に塗ったパステルはこすると落ちてしまうため、綿棒でこすりつけた後に水性のツヤ消しクリアーを吹き付けて乾燥させ、しっかり定着させる。

Chapter 13

Gento Fuujin

厳冬風神

合羽に三度笠、口には楊枝を咥えつつ、吹雪の中を歩く……。強い風の流れを感じさせる演出で、寒々とした空気感まで作り出す。

Work description

風は普段目に見えない。しかしジオラマならば、目に見えない風を感じさせることができる。「厳冬風神」は、そんなジオラマの力が伝わってくる作品だ。

実はこの作品、以前荒川氏がロボット系キャラクターを題材にしたジオラマで使ったものと同じ方法で作られている。雪の地面は白い紙粘土の色合いを生かし、枝ぶりの角度を工夫することで強い風を感じさせるのも荒川氏得意のテクニックだ。また、風の強さを示すためにローズマリーの枝を大きくベースの外にはみ出させるのも、このジオラマではとても有効な表現となっている。

この大きな枝がしなっているということは、よほどの風の強さだろう……この作品はそんな想像を掻き立てる。ジオラマなら、目に見えないものも表現できるのだ。

1.合羽に三度笠と、渡世人の姿を再現したフィギュア。風を避ける首の角度はこだわった箇所のひとつ。

2.ベースの外にはみ出すように大きくしなる枝が、吹雪の強さや吹き渡る風を感じさせる。

3.枝にくっついた雪は、ボンド水を使って白い石粉をくっつけたもの。これも雪を表現するテクニックだ。

4.隠し動物は白いテン2匹。季節感のあるチョイスだ。

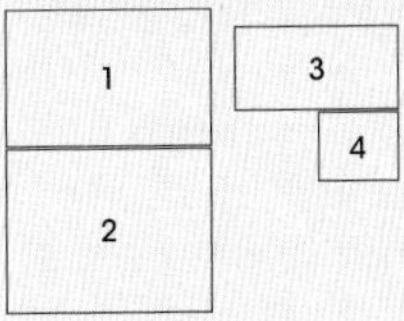

染み入るような冷たい風の中を、一人歩く
動かないジオラマで、雪原を吹く強い風を表現する

荒川氏による「厳冬風神」のチェックポイント

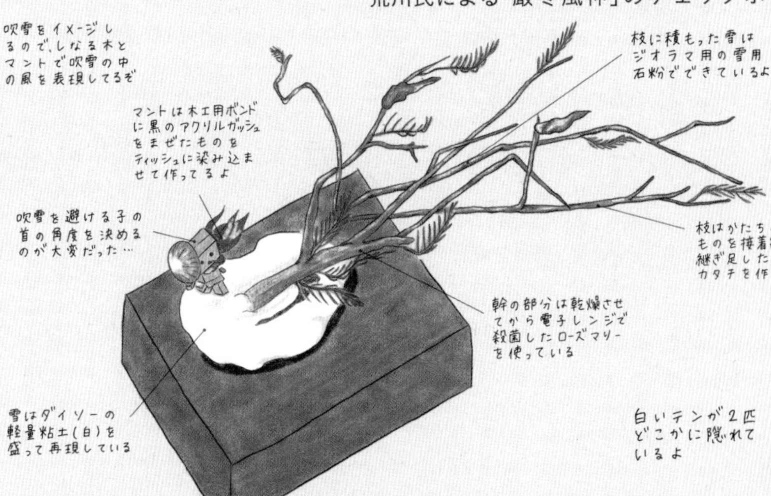

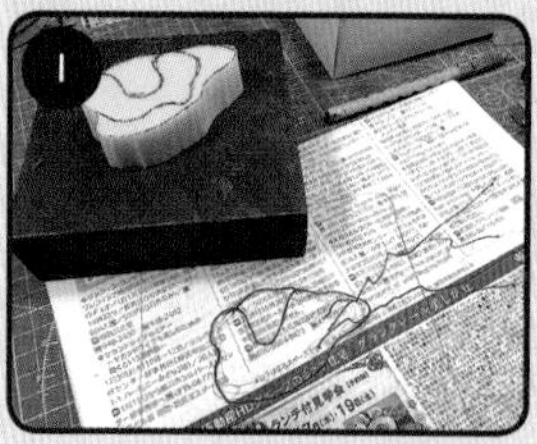

新聞紙などの大きめの紙に書いた原寸大の上面図に合わせ、スタイロフォームを切り出す。

隠し動物のテンは、エポキシパテで作成。目には鉛玉を使用している。

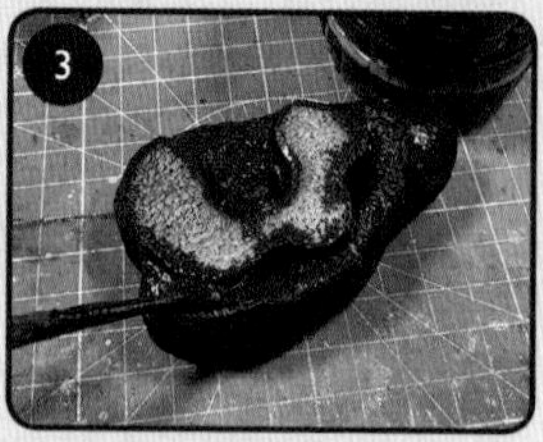

切り出したスタイロフォームに、どろどろ液を塗り、地面部分を作る。

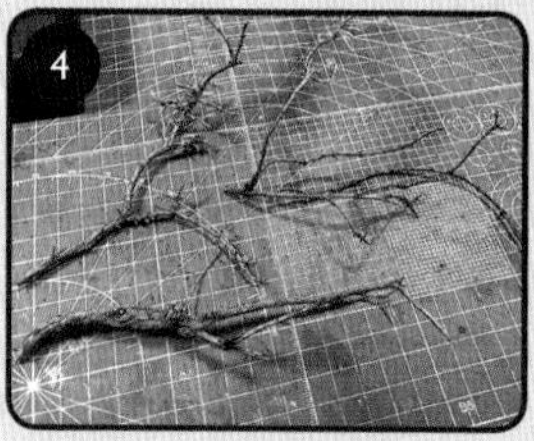

風にしなっている木には、自宅で育てている這生種のローズマリーを乾燥させて使用する。

このローズマリーは2年ほど育てたもの。ジオラマに使う際には電子レンジで殺菌する。

台座の上にローズマリーを置き、不要な枝をカットするなどボリュームを調整する。

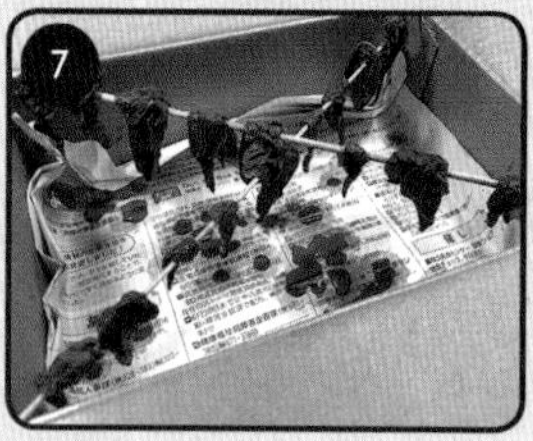

合羽は、ボンド水にアクリルガッシュの黒を混ぜたものにティッシュを染み込ませて干す。

乾燥させたティッシュを棒から取り、うまく風になびいているような形のものを選別する。

ティッシュを複数組み合わせてフィギュアに接着すれば、風に煽られた合羽が完成。

風に吹かれている木の枝の向きとフィギュアの合羽の角度を合わせ、接着する位置を確認。

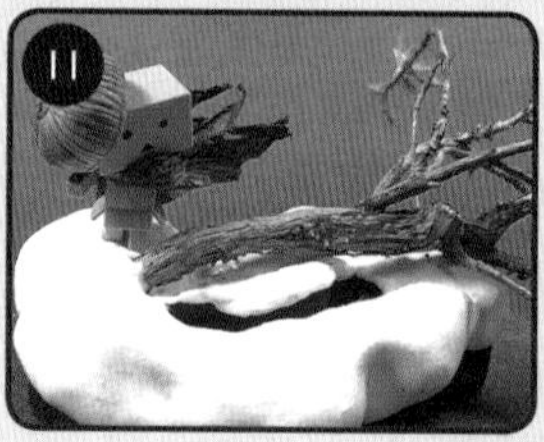

ダイソーのソフト軽量紙粘土〈白〉を練り、固まりのままジオラマの台座の上に盛りつける。

傘や木の枝にくっついた雪の表現には石粉を使用し、水溶きボンドを垂らして固定する。

雪の表現方法

地面の上にこんもりと積もった柔らかそうな新雪や、樹木の枝にこびりついた雪。同じ雪表現でも場所によって方法を変えてやれば、よりリアルなものになるのだ。

雪の作り方

【地面部の雪表現】

ソフト軽量紙粘土〈白〉をよく練り、塊のままでベース上にそのまま盛りつける。ふんわりした質感の粘土なので、なにもせず盛っただけでも充分雪の表現として使用可能。最も簡単な雪の表現方法であり、「厳冬風神」の地面の雪もこの方法で作られている。

【オブジェ上に積もった雪表現】

①.地面に置かれたものの上に雪が積もった表現や、木の枝に貼り付いた雪などは、ジオラマ用に市販されている雪用石粉を使用する。重曹を使う方法もあるが、重曹の場合は経年変化があり、周囲の塗料を吸い上げることもあるので、石粉の使用を勧めたい。

②.石粉を固定するのに使うのは水で溶いた木工用ボンド。家庭用洗剤を数滴混ぜておくと、表面張力で玉にならない。

③.雪を積もらせたい場所に水で溶いた木工用ボンドを筆かスポイトで垂らし、上から石粉を撒いてそのまま硬化させる。

ふわっと軽いねんど SOFT CLAY

68g ¥100(税別) ダイソー

ふんわりとした質感の紙粘土。最初から白色なので塗装なしでも新雪のような表現ができる。

スノーパウダー 粉雪 細目

120ml ¥330(税別) モーリン

ジオラマの雪表現用に販売されている、白い石を砕いた粉。目の粗さに種類があり、表現したい雪の状態に応じて使い分ける。

Point

ジオラマのベースの形を出すときは原寸図を何度も書き直すので、黒マジックで惜しげもなく書くことができる古新聞紙がよい。新聞紙なら大きめのジオラマでも原寸で寸法を出す事ができる。白い紙に書くと勿体無い、失敗したら……という気持ちが出てしまうので避けた方がよい。

苔ジオラマを生み出す
アイディアスケッチ

荒川氏が作品を作る上で、まず最初に行なうのがアイディアスケッチ。ここでは「どんな作品でも1枚は描く」という秘蔵のスケッチから、荒川氏の作品作りの基礎を読み解く。

なぜスケッチが重要なのか

荒川氏の作品作りで欠かせないのが、アイデアをまとめたスケッチ。荒川氏は頭の中で作品の構想をまとめ、それを具体化する過程としてスケッチを用いている。単なるネタだしというより、もう少し具体的な工程なのだ。

さらにスケッチの次に書くのが、全工程をまとめた工程表。これを書くためには作品内の要素を固める必要があり、そのためにもスケッチは不可欠。荒川氏の作品を作るためにこれらのスケッチが果たす役割は大きいのだ。

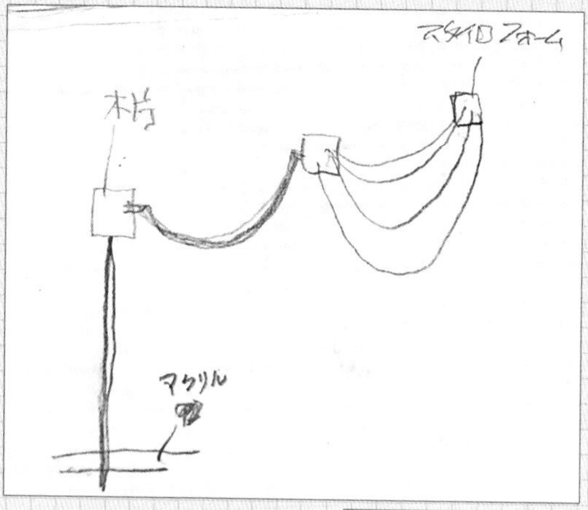

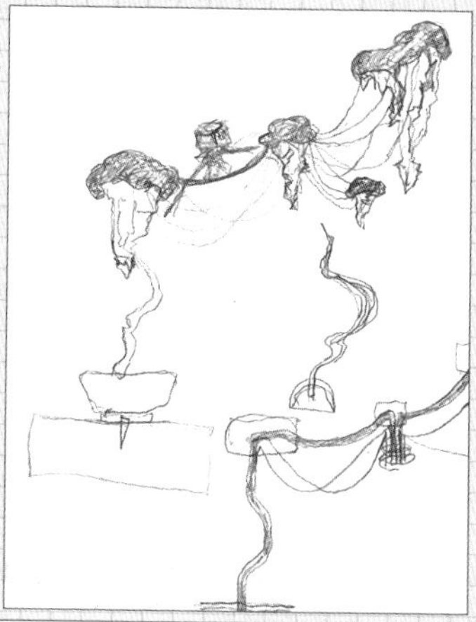

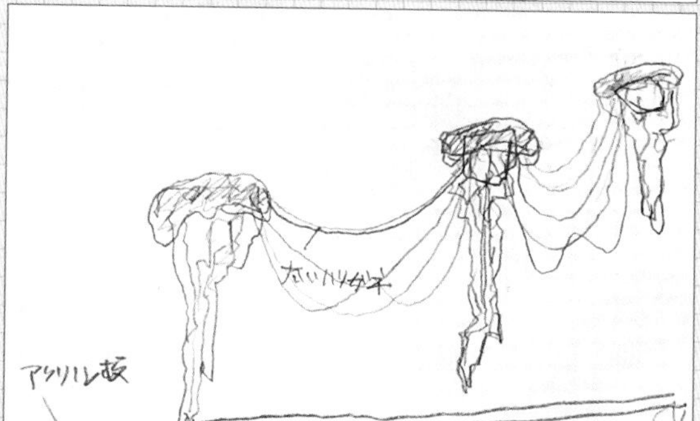

「つり浮島」を作る際に描かれたスケッチ。当初から「支柱で3つの島を支え、浮いているように演出する」という基本的なアイデアが完成されていたことがうかがえる。また、島の表面の中に隠されている内部構造に関しても、この段階でほぼ固められている。各部には使う予定の素材がメモとして書き込まれているのにも注目。これらのスケッチを元にして、実際の工作の手順やジオラマ内の要素が整理されていく。

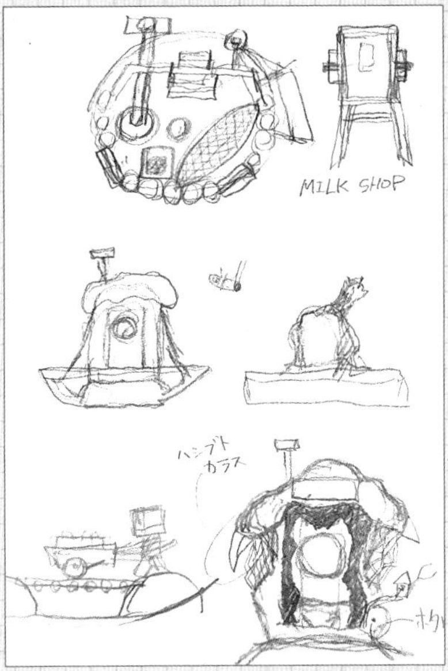

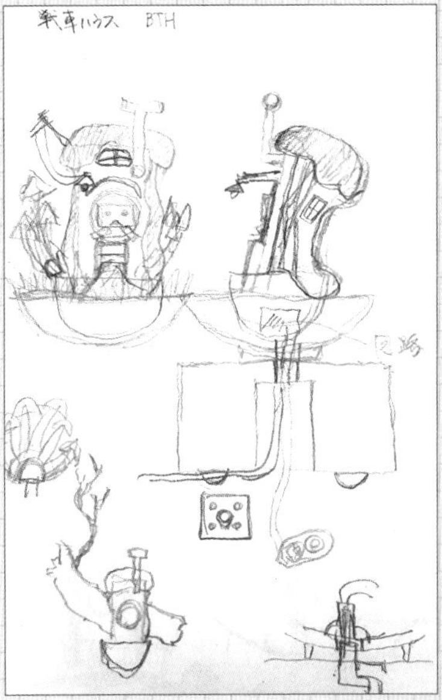

1.2.「ミルクハウス」のスケッチ。室内に置かれたハンモックやストーブなど、ジオラマ内のレイアウトが細かい配置まで描き込まれている。またこの作品は電飾を仕込むため、ベースから外にどうやって電源コードを取り回すかも検討されている。

3.上に描かれているのはモグラをイメージした作品のアイデア。残念ながらボツになった案である。下には「クローバーのベッド」のスケッチが。
4.「レインボーマッシュルーム・トランポリン」のスケッチ。各マッシュルームの大小や配置なども、上や横の方向から細かく描き込まれている。
5.「秋の連頭崖」のスケッチ。崖の配置に色々な案が出ているのが興味深い。
6.「初飛行・葉っぱフライヤー号」のスケッチ。葉っぱフライヤー号に関しては翼の配置は元より、翼間支柱や張り線の位置まで事前に決められている。

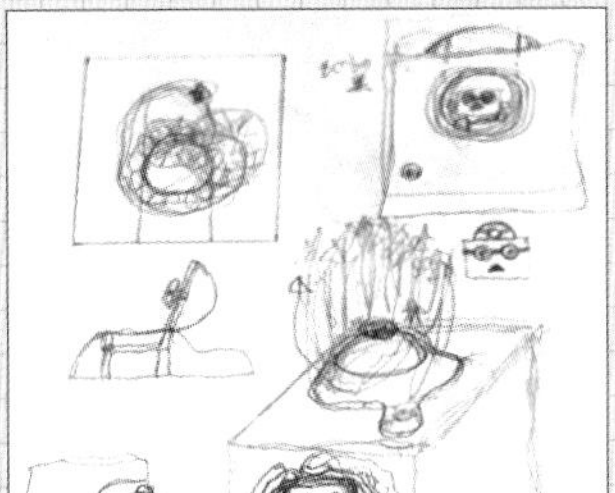

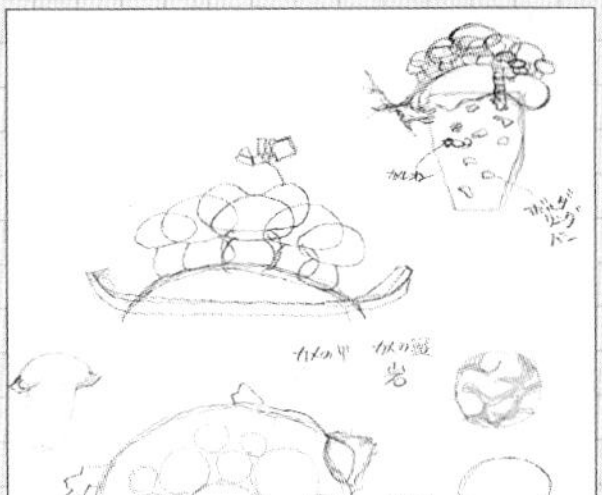

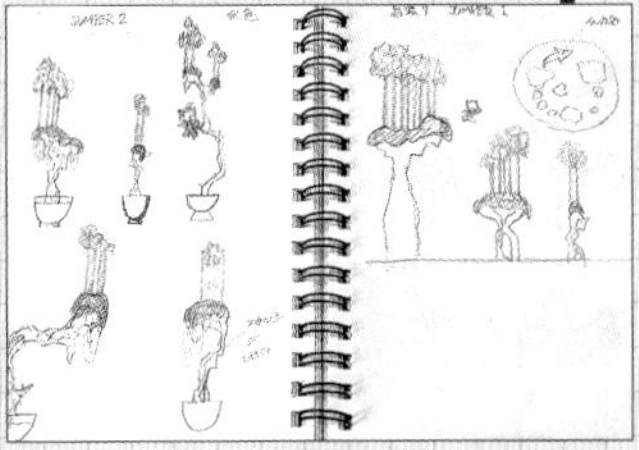

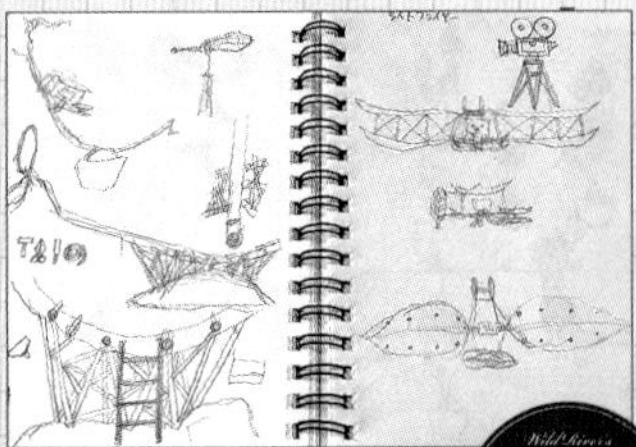

あとがき

普段自分は、スケールものやロボット系、SFなどの大きなジオラマの製作をメインに行なっています。それら普段の作品に関しては、「円形劇場」というオリジナルのジオラマコンセプトに基づいて、周りからぐるっと見回した時に、どこを見ても何かしらのストーリーがあり、特定の正面を持たないという構成で制作を続けてきました。こういった作品を作るのは楽しいのですが、やはりシビアな題材を扱ったり構成に気を使ったりすることも多く、どうしても気が抜けないところもあります。

そういう理由もあって、「円形劇場」を作る傍ら年に何回か、ふとこの本に収録したような小さな盆栽のような作品を作りたくなる時があります。こういった作品は手のひらに乗るような小さなジオラマや、お皿に乗るような作品に自分だけの小世界を詰め込むことができ、作っている自分もほっとした気分になります。この本を通して読んでくれた皆さんもそんな気分になってくれたなら、作者としてはこんなに嬉しいことはありません。

この本のジオラマの材料の中には、外を散歩している時に拾ってきた、道の傍らに転がっていた木の枝などが含まれています。普段捨ててしまうものや、小さなお皿や入れ物なども、日頃からコレクションしておくときっとジオラマ作りに役立つ時が来ると思います。

そういった身の回りにあるものや、色々な小さなキャラクターのフィギュアを使って、読者の皆さんも是非ともジオラマを作ってみてほしいと思います。作ってみると時間もそれほどかからず、意外と簡単に制作することができるはずです。この本が、あなただけの小世界を作るきっかけになってくれれば、望外の幸せです。

WildRiver荒川直人

著者略歴

WildRiver荒川直人

ジオラマ作家　AdobePhotoshopプラッガー
各種模型雑誌に、「円形劇場」という360度どこから見ても楽しめるジオラマ・コンセプトに基づいた作品を掲載しており、そのジャンルは幅広く、陸海空のスケールモデル、キャラクター、ロボット系など、雑誌、模型メーカー、イベント作品などあらゆる方面で活躍している。著書「WildRiver's G-WORLD 円形劇場 ガンダム情景作品集」「WildRiver's S-WORLD スケールモデル円形劇場作品集」(大日本絵画)

STAFF

編集	加藤 武(スタジオNACADACT)
デザイン	海老原剛志
写真	インタニヤ
イラスト	ナナイ
テキスト	半谷 匠
商品提供	株式会社 壽屋

苔《こけ》と木《き》々《ぎ》とジオラマと
～WildRiver荒川直人 卓上情景作品集～

2020年 4月10日　初版発行

著　者	WildRiber荒川直人
発行者	鈴木伸也
発　行	株式会社大泉書店
住　所	〒101-0048 東京都千代田区神田司町2-9 セントラル千代田4F
電　話	03-5577-4290(代)
FAX	03-5577-4296
振　替	00140-7-1742
印　刷・製　本	株式会社光邦

URL　http://www.oizumishoten.co.jp/
ISBN 978-4-278-05391-3　C0076